純白の未来

雨宮惜秋

目次

〔I〕暗　夜

鬼たちの群れが
眠れる魂を盗み取っていく
目を覚ませ　目を覚ませ
夜明けは近いのだ

プロローグ　財務金融大臣　故中川昭一の悲劇

大多数の一般市民は、２０１２年12月に行われた第46回衆院選によって、日本の闇はますます深く未来は不確かなものとして閉ざされてゆくと、感じているはずです。改めて言うまでもなく、一度は国民に見離されて野に下った自民党が、権力の座に返り咲いたのは、その政策が支持されたからではなくて、単に民主党が国民から総すかんをくらった結果にすぎません。第３極と呼ばれたミニ政党は、無節操きわまりない離合集散を国民に見せつけました。その結果、彼らのホンネが国会での議席ほしさ、議員バッヂほしさにすぎなかったことが明らかになりました。

自民党以外のほとんどの政党と候補者は、反原発・脱原発・卒原発などを主張しましたが、これらはすべて選挙目当て、得票目当ての、その場限りのリップサービスにすぎませんでした。彼らは誰一人として、ただの一言も、２０１２年6月20日に行われた「原子力規制委員会設置法」と「原子力基本法」の一部改正について語ろうとはしませんでした。

その改正とは「我国の安全保障に資する」という文言の追加です。このことについては後に詳述しますが、この一文によって政府は、原子力発電を軍事力として利用することが可能になったのです。日本の政府は、国民にはすべてを秘密にし、マスコミ報道を封じて２０１２年6月に、核武装への第一歩を踏み出したのです。日本にとって、これ以上に重大な路線の変更はありませんでした。

反原発を主張しながら、本件を無視黙殺して、国民に知らせようともしなかった人々は、悪意をもって有権者をだまそうとしたのか、まるで何もわからないアホーだったのか、のどちらかだということです。どちらも国民にとっては有害無益の存在で、こんな連中ばかりが国会にたむろするようになったのでは、世の中も終わりです。しかし国会議員と政党のレベルは、年々歳々低下する一方です。それには理由があります。

対米戦争に敗戦して以来、日本はアメリカの衛星国と呼ばれる立場に置かれています。つまり日本は、内政外交にわたってアメリカの強力な支配下にあるのです。アメリカは日本の政治家が、日本の利益のためにアメリカの方針に反する発言や行動に出ることを、決して許しません。たとえ日本側の主張が、国際社会の規準に照らして１００パーセント正当であったとしても、これをつぶします。このような場合には、アメリカとしても公然と強権発動をするわけにはいきません。そこで彼らは、ダーティな謀略をもって目的を達成するのです。その上でアメリカにさからえば、どんな目にあわせられるかを、政官の関係者に対して強く見せつけるのです。しかしこのような謀略は、日本の国民には決して知られないように、秘密のオペレーションとして実行されます。これが政治家の無能化の大きな原因です。今やアメリカの機嫌をそこねそうな懸案については、「見ざる、聞かざる、言わざる」が、政治家の処世訓となり果ててしまいました。そして日本の政党は、国家の行く末と国民の生活を考える能力をすでに失っているのです。彼らはアメリカ政府の翼賛連合会にすぎません。

アメリカによる政治家つぶしの謀略は、多くの場合ターゲットとなった政治家の脇の甘さ、金銭トラブルがねらわれました。本当の理由は、アメリカの不当な要求をはねのけたり、日本の国益を主張してアメリカと対立したことなのですが、国民はマスコミ報道のとおりに、金銭スキャンダルや収賄事件による失脚と、思い込まされてきました。しかし、その罪の軽重にかかわらず法を犯せば犯罪です。政治家は清廉潔白でなければなりません。

ここに正々堂々として日本の国益を主張し、それを実行に移した大臣がいました。彼には政治家として何らの落ち度もなく、金銭スキャンダルを仕掛けられたり、ほじくり出されたりするような弱みもありませんでした。彼は政治家として清廉潔白だったのです。しかし人間というものは、どこかに弱点があるものです。アメリカとその手先は、彼の弱点にコミットして謀略を仕掛けたのです。その結果はどうなったでしょう。その大臣とは誰のことでしょうか。以下に事件の顛末を書き記します。

＊　　＊　　＊

麻生政権時代、中川昭一は財務金融大臣でした。彼は、正面からアメリカ批判をやった唯一人の大臣です。その批判とは「日本はもうこれ以上、米国債を買い増ししたくない。アメリカは身勝手だ」というものでした。そして彼は、２００９年2月13日に「日本政府は１０００億ドルをＩＭＦに拠出する」として、ＩＭＦのドミニク・ストロスカーン専務理事と調印式を行いました。ストロスカーンはヨーロッパ出身の人物であり、それもあずかって彼は「今どき、こんな寛大な国は日本しかいない」と言って感激し、泣きださんばかりに喜びました。

世界銀行総裁のロバート・ゼーリックは、日本のこの決断に対して、表面上は歓迎の意を表しました。しかし実際には、彼の腹わたは、怒りで煮えくり返っていたのです。アメリカにとっては、日本の外貨準備高1兆ドルは、日本という他国のマネーであるにもかかわらず、アメリカの所有物として考えているからです。従って彼らの理屈においては、中川財務金融大臣は、彼らの金を勝手に使った泥棒にも等しい人物となるのです。ましてその使い道が、チェコやハンガリーを助けるための緊急資金として与えてしまったとなると、その行為はアメリカ帝国に対する反逆以外の何ものでもなくなってしまうのです。宗主国アメリカの属国支配は、実に神経質で狭量です。衛星国日本が、独自の外交判断を示すことを決して許しません。しかし表向きには、誰も中川財務金融大臣を非難することはできません。外貨準備高1兆ドルは、純然たる日本の資産だからです。そしてIMFに対する日本からの資金協力は、国際社会から賞賛されるべき行為でした。

どす黒い怒りに燃えながら、世界銀行総裁ロバート・ゼーリックは、直近の部下に対して密命を下しました。

「中川昭一の政治生命を奪え。直ちに彼を失脚させろ」

ゼーリックが命令を下した部下とは、ローマG7に出席した中川の随行員である日本の、財務官僚たちでした。このことから明らかなように、日本の財務省の本当の主人は、日本の政府ではありません。アメリカ政府なのです。

彼らは中川の弱点であるアルコール依存症に、ターゲットを絞りました。そして財務官僚たちの悪巧みは、まんまと成功したのです。彼らはローマＧ７での朦朧会見を演出して、中川昭一の政治生命を奪いました。

本来ならば、たかがワインの一杯や二杯で酔っぱらうような中川ではありません。そして彼は、このような大切な場所に、泥酔した姿を見せるようなだら幹でもありませんでした。彼がフラフラになってしまったのは、ワインに一服盛られたからです。この犯罪に加担した財務官僚とは、篠原尚之財務官・財務省国際局長玉木林太郎、そして玉木とは特別に親しい関係にある読売新聞経済部の記者、越前谷知子の３人です。おそらく篠原が犯罪計画を立案し、玉木と越前谷知子が、ワインに薬物を混入した実行犯であろうと思われます。

この朦朧会見があったのは、２００９年2月14日でした。そして中川昭一失脚の後、日本は米国債購入を再開しました。これは年間21兆円に昇る巨額の出費です。それと同時にロバート・ゼーリックからの論功行賞として、篠原尚之財務官は、ＩＭＦの副専務理事に抜擢されました。

元財務金融大臣中川昭一は、２００９年10月3日、失意の内に死去しました。

この事件の後に、しかし政府からも自民党の同僚議員の間からも、中川擁護の声はおろか、真相究明の声さえもあがりませんでした。そして財務官僚たちは、何事もなかったかのように、何食わぬ顔でアメリカという虎の威を借りながら、本来ならばあるべきはずのない巨大な権力を、今日も振い続けているのです。

「中川昭一財務・金融大臣失脚」に関する情報は「世界権力者人物図鑑・副島隆彦・日本文芸社」に基づいています。ご参照下さい。

＊　＊　＊

＊　＊　＊

アメリカは、国家元首の暗殺をも含めて、世界中のあらゆる場所で、様々な謀略を実行しています。このような政治状況下では、一般市民に公開される情報は、すべてウソで固められた洗脳情報だけになってしまうのです。その裏には一般市民をだまして奪い取った巨額のマネーを、懐に入れている人たちの存在があります。彼らはウソを広めて人々をだまし、戦争を引き起して数百万の人々を虐殺し、そのことによって天文学的な莫大な利益をあげています。

人類にとって不幸なことに、戦争くらい儲かるビジネスは他にありません。このようにしてアメリカは、世界中にその強腕を振るって他国の富を収奪しているのですが、しかしアメリカ国民自身は、年経るごとに貧乏になっています。今やアメリカの富の80パーセント以上を、全人口の1～2パーセントくらいの人々が所有していると、言われています。つまりアメリカの主人は、このごく少数の人々であって、人口の大多数を占める一般市民ではありません。

アメリカの民主主義は、すでに盗み取られてしまって久しいのです。盗み取ったのは、ロスチャイルドとロックフェラーを頂点とする国際金融資本家であり、アメリカの巨大企業とそのオーナーであるスーパーリッチたちです。彼らは全世界に君臨する最高権力者を自認し、ヨーロッパの「王室、スーパーリッチ、国際金融資本家」と一体となって、全人類を彼らの完全管理下に置こうとする妄想を、膨らませているのです。彼らはすでに、世界的な権力者ネットワーク、あるいは影のグローバル政府と呼ぶべき組織を作りあげています。それがビルダーバーグクラブです。

ビルダーバーグは1954年に創設され、親睦会という名目で、毎年秘密裡に会合が開かれています。ここで話し合われた内容は、アメリカ・イギリスそしてヨーロッパ諸国の政府によって、その後の世界状勢に大きく反映されています。それは本質的に、平和と民主主義に対する悪意に満ちています。ビルダーバーグのアジェンダすなわち達成目標と、2005年のビルダーバーグ会議出席者名簿を「I暗夜」の巻末に掲載しました。ご参照下さい。

世界に君臨する国際金融資本家、スーパーリッチたちは、強大な権力を築きあげました。しかし権力の寿命は、案外に短いのです。権力は遅かれ早かれ、いずれは腐敗し錯乱し、そして自滅すべき必然性を内包しています。それは人間性の本質に基づく必然です。人間の自我は、権力を握った瞬間から肥大を始めます。肥大した自我は全能感にとらわれるようになり、次第に現実から遊離していきます。やがて現実と妄想の区別が怪しくなり、権力は錯乱し、そして自滅します。しかし権力の崩壊は、多大の犠牲を伴うのです。

今や世界権力は錯乱しつつあるのだと、私は思っています。なぜならば、ビルダーバーグはロシアとアメリカとの核戦争を、画策していると思われるからです。その前に中国との限定的な前哨戦があるかも知れません。米ロは両方で一万発近い核ミサイルを所有しているのですから、米ロの核戦争は人類滅亡に直結すると考えなければなりません。しかし世界のスーパーパワーは、これとはまったく別の判断をしているのです。このことについては後に詳述します。

世界権力が暴走を始めてしまったのだとすれば、米ロの核戦争の勃発は早ければ20年後、遅くとも30年後には不可避だと考えるべきでしょう。なぜならば、ウソで固めた彼らの世界支配が限界に達しつつあるからです。支配者にとって、事態の行き詰まりを打開する最善の方法は、戦争を始めることであり、戦争の規模が大きいほど、その後の変化も大きくなります。このような事態を避ける方法は、唯ひとつだけです。世界権力を消滅させてしまうのです。

世界権力という巨大なパワーに対して、武力や暴力をもって立ち向ったところで、歯がたつはずもありません。しかし権力とは、実は非常にもろいものなのです。権力はその武力だけをもって、民衆を支配することはできません。権力支配とは、被支配者の同意あるいは尊敬のような、自発的な服従なしには成立しないのです。従って、どれほど強大な権力も民衆の支持を失えば、一夜にして消滅してしまうのです。その劇的な実例が、大日本帝国の消滅でした。神風自爆攻撃をくり返し、民間人には自決を強要し、そして一億玉砕を叫んでいた軍部の権力が、たった一度の玉音放送で消し飛んでしまったのです。しかし、その時までに、すでに日本中の人々は日本が戦争に敗け続けていること、大本営発表はウソばかりだ、ということを知っていました。この共通の認識が、一日で大東亜戦争を終らせたのです。

権力は腐り始めると、常住不断にウソ八百を流します。それ以外に民衆の支持を引きつける手段が、なくなってしまうのです。このウソを大多数の人間が見破った時、権力は消滅します。日本の政府もアメリカの政府も、世界中の政府も、彼らはウソばかりついています。

日本の政治を改革し、世界を核戦争という滅亡の危機から救い出すためには、日本と世界に撒き散らされている「権力のウソ」を、大多数の人々が認識しなければなりません。

数多くのウソの中から、特に重要なウソを選んで、次の章「権力のウソ列伝」においてその真相を明らかにします。これらのウソは十数年以上も、長いものでは半世紀にもわたって、新聞、テレビ、政府高官の発言として、社会に流布されてきました。小中学校のテキストに掲載されているものさえあります。つまりこれらの「ウソ」は公式の社会の見解であり、常識となりきっています。そしてウソをウソだとして指摘する人間を、頭のイカレタ変人奇人として、排斥しようとします。

70年前の日本を想ってください。当時、天皇は現人神という、この世に人の姿で現れる神様でした。学校には天皇の御真影が飾られており、教師も生徒も毎日これを礼拝したのです。日本は神の国であり神国日本は不滅であると、誰もが信じていました。そればかりか、いざとなれば神風が吹いて敵を撃滅し、日本を守ってくれるとさえ、思っていたのです。少なくとも上辺だけは、そのように振る舞わなければなりませんでした。そうしなければ非国民として排斥され、どんなひどい目に会わされるか、わからなかったからです。戦争末期には、信念さえあれば重爆撃機Ｂ29を、竹ヤリで突き落とせるとまで、訓辞されたということです。それが時代の空気でした。その結果は、あまりにも悲惨でした。日本全土が焼け野原となり、２００万人以上の人々が亡くなりました。

事実と願望、あるいは妄想との違いが、大きくなればなるほど、事実によって願望や妄想が、吹き払われる時のダメージも、大きくなります。そして現実からのしっぺ返しを受けるのは、事実から眼をそむけていた人々なのです。

正確な事実認識の共有こそが、日本の政治状況を一変させ、全世界を核戦争の脅威から救い出す第一歩となるのです。ひるまずに、現実を見定めなくてはなりません。その助けとなるように、古くから伝わる知恵の言葉を記します。

夢の中の有無は　有無共に無
迷の内の是非は　是非共に非
事　実　唯　真

権力のウソ列伝

1、９・１１同時多発テロのウソ

２００１年９月11日に起きた米国同時多発テロ事件は、その後の世界情勢を大きく変化させました。この事件を契機として、世界は戦争と不信の時代へと踏みこんでしまったのです。

事件のあらましは、アメリカ政府の発表によれば次のとおりです。

９月11日の朝、２機の飛行機が１１０階建ての世界貿易センタービル２棟それぞれに、突入。

8時46分ボストン・ローガン空港発ロサンゼルス行アメリカン航空11便が突入。

9時3分ボストン・ローガン空港発ロサンゼルス行ユナイテッド航空175便が突入。貿易センタービルは2棟ともに爆発炎上し、鉄骨が吹き飛ぶ大火災となり、ビルは跡形もなく崩れ落ちました。その結果、ビルの中に居た2749名の人々が犠牲となったのです。

9時38分ワシントンDC・ダレス国際空港発ロサンゼルス行アメリカン航空77便が、ペンタゴンの5階建てのビルに突入。

10時3分ニューヨーク・ニューアーク空港発サンフランシスコ行ユナイテッド航空93便が、ペンシルバニアの山中に墜落。ホワイトハウスに突入予定であったが、テロリストと乗客がもみ合った結果墜落。


事件の3日後に、アメリカ政府は「アルカイダに属する19人のアラブ人が、4機の飛行機をハイジャックして実行におよんだ犯行」と発表しました。そしてオサマ・ビン・ラディンを首謀者と断定したのです。それと同時に、ブッシュ政権は「テロとの戦い」を全世界に向かって宣言しました。「テロとの戦い」とは、ある国がアメリカに対して危険をおよぼしているとアメリカ政府が判断したならばアメリカはその国に対して、直ちに軍事行動をとる、という意味の言葉です。つまりアメリカは侵略戦争を行うための無制限の自由を自らに許し、それを全世界に対して公言したのです。

アメリカは、ビン・ラディンをかくまっているとして、直ちにアフガニスタンのタリバン政権を攻撃し、続いてイラクを侵略し占領しました。しかしアフガニスタンが、ビン・ラディンをかくまっているという証拠はなかったのです。またイラクの場合には、「イラクが大量破壊兵器を保有しており、それがアメリカにとって危険である」というのが侵略の理由でした。しかし後日、イラクには大量破壊兵器はなかったことが判明しました。大量破壊兵器保有の情報は、当時のＣＩＡのでっち上げだったのです。

テロ事件後２ヵ月と経たないうちに、ブッシュ政権は「愛国者法」を立法化しました。この法律の目的は、テロリストの監視と捕縛を口実にして、自由と人権を大幅に制限することです。この時点でアメリカという国家はファシズム的、戦争マシーンに変貌を遂げてしまったのです。

９・１１同時多発テロ事件を取り巻く状況のすべてが、「ウソ」と「詭弁」によって彩られています。ブッシュ大統領の宣言した「テロとの戦い」という思想そのものが、粗雑な詭弁です。なぜならば、「テロ」というのは手法を示す言葉であって、戦いを挑むことのできる実体のある組織ではないからです。テロに対する戦争という思想は、不条理な虚構であると同時に、永久戦争を続けるための「呪文」でもあります。

アメリカには軍産複合体が存在し、それはアメリカ経済全体を動かす重要なポジションにあります。冷戦が終了しソ連という強大な敵を失った軍は、それに代わるべき敵の出現を待ち望んできました。組織の論理として、それは当然の願望であり具体化すべき営為でさえあります。敵がいなければ、軍事予算は削減され組織は縮小し衰微してしまいます。

そのような状況下で、9・11同時多発テロ事件は起こりました。アメリカ政府の対応は、待ってましたと言わんばかりの迅速さでした。アメリカ政府の宣言した「テロとの戦い」という不条理な思想と、あまりにも水際立った迅速な対応から、この事件に対するアメリカ政府の何らかの関与が疑われたのです。

元ドイツ国防長官アンドレアス・フォン・ビュウロウは、その著作「CIAと911」の中で次のように語っています。

「この同時多発テロの計画は、技術的にも組織的な面においても名人芸の域である。短時間に4機の大型ジェット機をハイジャックし、それを1時間くらいの間に、それぞれを異なったルートを通らせて目標に突入させたのである。こんな芸当は、国家と企業の連携した秘密の組織が関わっていない限り、不可能である」

彼はまた、イギリスの新聞デイリーテレグラム紙の取材に対して、このように言っています。

「もしも私の言っていることが正しいとしたら、アメリカ政府全体が刑務所にぶちこまれるべきだ。なぜなら彼らは、証拠を隠滅し真実を秘密のベールで隠してしまって、自分たちが行った秘密工作であるという真相を隠すために、オサマ・ビン・ラディンに率いられたアルカイダ一味19人のイスラム教原理主義者の話をでっち上げたからだ」

＊　＊　＊　＊

わが国には「米国9・11同時多発テロ」の真相を克明にレポートした重要な本が存在します。英語圏の国々では、絶対に出版することのできないアメリカの悪業を暴露した、真実の記録だと思います。その本とは「9・11テロの超不都合な真実　菊川征司　徳間書店」です。ご参照下さい。本書「純白の未来」は菊川征司氏のこの著書を情報源として、その内容をダイジェストしながら、私の認識と主張を綴ったものです。

＊　＊　＊　＊

「9・11テロ事件の真相」

本件に関するアメリカ政府の発表は、すべてまっ赤なウソです。真相はアメリカ政府の自作自演です。

日本の国会議員たちは、誰もがそのことを知っています。社民党も共産党も知っていながら口をつぐんでいます。本件を話題に乗せること自体をタブーにして、彼らは保身を計っているのです。議員たちは死ぬほどアメリカをこわがっていて、あえて真相を国民に知らせようとする勇気も、誠意も彼らにはありません。そればかりか、全国会議員中唯一人だけ、藤田幸久議員が9・11テロに対して疑惑を表明した際には、大多数の国会議員がこれを黙殺するか、攻撃する側につくかしたのでした。このことについては、この章の後半「テロに便乗した強欲犯罪」で詳述します。

9・11テロは、次のようにして発案・計画・実行されました。

①　謀　議

アラブの仕業に見せかけた世界貿易センタービルへの攻撃を、最初に発案したのはアメリカではありません。イスラエルです。

アラブ世界の憎悪の海に、ぽつんと浮かぶ小島のような、人口約600万人の小国イスラエルにとって最重要の国家目的とは、国家として生き延びること、国家として存在し続けることです。そのためには宿敵イラクとイランを、アメリカの力を使って抹殺してしまうことがベストの作戦なのです。このような事情からイスラエルは、アメリカをイラクそしてイランとの戦争へ誘導すべき機会を、待ち受けていました。

一方アメリカでは、ソ連の崩壊によって冷戦が終了し、国防予算は年々削られてゆきました。平和の到来は、アメリカ国民にとっても世界中の人々にとっても、喜ぶべきことでした。しかし、これに反発し頭を抱えて、事態打開に苦慮した人たちがいたのです。それは軍需産業とつながりの深いネオコンと軍産複合体です。チャンス到来と判断したイスラエルは、アメリカの国防予算を増大させるよい案があるという口実で、テロ計画を持ち掛けたのです。これらの動きが始まったのは、冷戦後１・２年経った１９９３年頃と考えられます。

② 計　画

当初の計画は「世界貿易センタービルの破壊」だけでした。これによってアメリカ国民を激怒させ、攻撃されたことを口実にして「テロとの戦争」を宣言すれば、新たな敵が生まれます。そして当然、国防費は増大し国民の承認のもとに、イラクとイランへの武力侵攻を断行できるという筋書きでした。しかしアメリカ側の都合で「ペンタゴン攻撃」が追加され、更にアメリカを「独裁体制」にして国民を操縦しやすくするための、複雑な計画が練り上げられました。そのひとつが、アメリカ憲法に明記された基本的人権の尊重を、破棄するための法律作成です。そして詳細なプランができあがって、計画の実行準備に着手したのが１９９６年です。

③　テロ計画遂行の布石

「その１　ブッシュを大統領にする」

テロ計画を実現するためには、ネオコンが自由自在に操ることのできる大統領を、作る必要がありました。そのための大統領として担ぎ出されたのが、ジョージ・ウォーカー・ブッシュです。

彼は良家の善良なお坊ちゃんで、正直であると同時に無能な人物でもありました。そして好人物のブッシュは、感情的になって人を怒鳴ったり、対立関係に入ったりすることがありませんでした。マイケル・ムーアによればブッシュは、小学校４年生程度の読み書きの能力しかない、ということです。それが単に、難しい字が読めない難読症というだけのことならば、日本の総理大臣にも似たような人物がいましたが、ブッシュの場合には、知能そのものが相当低かったようです。そのため大統領になってからは、毎日のようにチェイニー副大統領から、「今日は、これとこれをやれ」と叱られていました。そのため週末になるとテキサス州の別荘に逃げ帰って、「大統領なんかやりたくない」とこぼしていたそうです。このようなブッシュを慰めて、仕事をやる気にさせていたのが、国務長官のコンドリーザ・ライスです。彼女は国務長官であると同時に、大統領の秘書兼教育係として政権入りしたのです。彼女はブッシュを励ましたり慰めたりしただけではなく、チェイニーに対しては「これ以上は叱らないように」というような取り成しをしたのです。こうしたところから、二人は愛人関係に入りました。

ある記者会見の席上で、彼女はブッシュのことを「マイ・プレジデント」と言う代わりに、うっかり「マイ・ハズバンド」と失言してしまったことがあったのです。

ブッシュという、このように間の抜けた人物を大統領に当選させるためには、当たり前の手法で戦ったのでは、選挙に勝利できるわけがありません。しかし目的達成のためには、なにがなんでもブッシュを当選させなければならないのです。事実がどうであろうと、得票数がなんであろうと、ブッシュを大統領に当選させるのです。そこで、そのために共和党は後世に語り継がれるべき、インチキ大作戦を敢行しました。

まず対立候補のアル・ゴアの票を食わせるだけの目的で、社会運動家のラルフ・ネーダーを引っぱり出しました。もしもネーダーがいなければ、ゴアの当選が確定した州が2つあるのです。

次にブッシュのホワイトハウス入りを助ける目的で、１９９６年にフォックスニュース社を設立しました。この会社は設立と同時にＣＮＮ・ＡＢＣ・ＮＢＣ・ＣＢＳと同格のニュースチャンネルとして、登場したのです。

２０００年の大統領選挙の集計と当選のいきさつは、マスコミによる情報操作の威力を見せつけました。なにしろ落選しているはずのブッシュを、当選させてしまったのですからアメリカの有権者にとっては、まさにキツネにつままれたような出来事だったに違いありません。

選挙当日、４大ニュース局のＣＮＮ・ＡＢＣ・ＮＢＣ・ＣＢＳのすべてが、投票進行の様子をゴア有利と伝えていました。ところが投票が締切られる以前に、全部の票がまだ数え終わる以前に、いきなりフォックスニュースがブッシュ勝利を叫びだしたのです。すると、なぜか一斉に、他の4大ニュース局もブッシュ勝利を伝えました。そして投票の集計が終わらないうちに、ブッシュ勝利のニュースが全米に流れたのです。本来ならば、この発表は選挙管理委員会によって為されるはずのものなのです。しかしブッシュ勝利を全米に流して、既成事実にしてしまったのは、フォックスニュースでした。そして同社の選挙報道責任者は、ブッシュの従兄弟だったのです。

この選挙結果は争いとなり、フロリダ州最高裁が票の数え直しを指示しました。ところがです。なんと連邦最高裁が州最高裁の指示を取り消して、ブッシュ勝利の判決を下したのです。裁判所が大統領を決定したのは、アメリカの憲政史上初めてのことでした。この奇怪な裁定の意味するところは、司法をはじめとして行政と立法の3権が、すでに超越的権力の従属下にあるということです。アメリカ合衆国を支配する原理は、民主主義ではなくなっています。

「その2　政府職員の口封じのために、大義名分を作る」

世界貿易センタービルとペンタゴン攻撃作戦には、多くの軍人とFBI・CIAなどの政府職員の手を借りる必要がありました。問題は、彼らの内部告発の可能性です。どうあっても内部告発のないように、取り計らわなければなりません。そこでそのメインの対策として、これらの関係者が「自分は国家のために働いたのだ」として、その行動を正当化できるように、罪悪感にとらわれることのないように、大義名分を作ることにしたのです。それがズビグニュー・ブレジンスキーの「グランド・チェスボード」という著作です。

これはアメリカの外交基本方針について書かれた本ですが、この中にはアメリカが超大国として存続するために必要不可欠とされることが記されています。まずイラクのサダム・フセインを排除して石油を確保すること、そして世界第2の石油埋蔵量を誇るカスピ海周辺の制圧が、絶対的に必要であるという内容が明記されています。この外交基本政策の枠組みの中で、ネオコンは彼らの論文を2度にわたって発表しました。その中では、イラクへの武力侵攻が繰り返し強調されています。そして武力侵攻実現のためには、アメリカに対して「新しい真珠湾攻撃が加えられる必要がある」という表現まであったのです。

④　テロ遂行の手順

9・11同時多発テロという巨大な国家犯罪は、次の手順によって遂行されました。

（1）防空警護システムの無能化

正常な状態では、コースを外れた民間航空機が見つかった場合は、ただちに連邦航空局が北アメリカ航空宇宙防衛司令部に連絡して同司令部の責任者が、2機のジェット戦闘機のスクランブル発進を指示することになっています。

このシステムが働いてしまうと、テロのための航空機突入ができなくなってしまいます。そのためチェイニー副大統領の命令で、２００１年6月に統合参謀本部は、北アメリカ航空宇宙防衛司令部に対して、同司令部の判断によるスクランブル発進を禁止してしまったのです。そしてスクランブル発進をするためには、同司令部から国防長官に報告して、その許可を得なければならなくなりました。

これだけの準備をしたうえで、９・１１当日は朝からカナダも巻き込んで、北米大陸全体を舞台に、4つもの大掛かりな空軍の軍事演習が実施されました。まず北米全体のジェット戦闘機をアラスカ上空に集結させて、スクランブル発進できるのは8機だけという状態にしました。同時に演習の内容を、飛行機がハイジャックされ、それに対応するというものにしたのです。そのため空軍のレーダーには、模擬のハイジャック機18個の機影と本物の4機のハイジャック機の機影と合わせて22個の点が映っていました。このように仕組まれたために、現場のパイロットには、演習なのか現実にテロが発生したのか、わからなくなっていたのです。それでも最終的にはスクランブル発進が行われました。しかし結局のところ間に合いませんでした。

（2）　フライト　11便・１７５便・77便・93便の乗っ取りと乗客全員の殺害

空軍はハイジャック機対策という名目で、操縦士の乗っている飛行機を、地上からコントロールする技術の開発に取り組んできました。このコントロール装置は、１９９４年に完成しています。このＧＰＳ装置開発に使われたのが、ボーイング社のジェット機でした。そのためこの装置には、自由に操れるのはボーイング社製だけ、という弱点があります。

事件当日、11便・１７５便・77便・93便の４機の飛行機と乗員乗客は、空軍のＧＰＳ装置で地上から操縦され、軍によって接収されました。４機ともすべてボーイング社製です。

政府発表では、貿易センタービル南棟に11便が、北棟に１７５便が突入したことになっています。しかし、これはまっ赤なウソです。ここに突入した2機は、無線操縦のための機器とカモフラージュ用のブラックボックスを設置した、改造軍用機で無人機です。スチュワート空港から発進したと推測されます。

空軍がハイジャックした飛行機を使って、乗員乗客を乗せたまま直接ビルに突入させなかったのには、深謀遠慮があったからです。ツインタワーは非常に頑丈な構造をしているために、ボーイングをそのまぶつけた場合には、ビルに突き刺さって、機体の後ろ半分が残ってしまう可能性が高いのです。万一、生存者が一人でも出て機内の真相を話したら「すべてがウソ」だったことが、バレてしまいます。彼らは万全を期して確実に作戦を遂行するために、乗客の乗ったボーイングを地上に降ろし、そこで乗員乗客を皆殺しにして口を封じてしまったのです。

その殺害の方法は次のとおりです。77便の乗客と乗務員は、着陸した地点の機内で毒ガスを使って殺害されました。他の3便の場合には、犯罪者たちは全員を93便に乗り換えさせて、そしてクリーブランド・ポプキンス空港に連れて行きました。ここにはNASAのジョン・グレン・リサーチセンターが隣接しています。この建物は無重力状態での飛行一般のリサーチをしていますが、氷のトンネルと呼ばれる正体のよくわからない施設があります。このNASAの装置を使って、全員を殺害したと推測されます。なぜならば、ここには飛行機墜落事故と同様の生体反応の出た遺体を、作ることのできる装置があると、考えられるからです。

なお77便だけが別扱いとなった理由は、この便のチーフパイロットが、GPSによって誘導されていることに気が付いたからです。彼は元海軍のトップガンであり、ペンタゴンの対テロ対策室に勤務した経験のある人物です。彼はダレス空港を離陸して以後、連邦航空局のレーダーから姿が消えるまでの間に、自動操縦装置のスイッチを、ONとOFFに何度も切り換えたのです。このことからパイロットに気付かれたことを察知して、地上の犯罪者たちは、77便を予定よりも早く最寄りの軍の空港に着陸させ、そこで手っ取り早く片付けてしまったものと思われます。

では、これらの遺体はその後どのように処理されたのでしょうか。ペンタゴンに突入したとされる77

便とシャンクスビルで墜落したとされる93便については、メリーランド州ロックスビルのＤＮＡ鑑定研究所で11月16日に一応の鑑定が終了しています。この時点で、死体の出てこなかった死者の遺族にも、死亡証明書が発行されました。しかし遺体を遺族に返却したという報告は、ありません。

なお当たり前のことですが、事故直後現場に駆けつけた捜索隊は、ペンタゴンでもシャンクスビルでも、乗員乗客の遺体も機体の残骸もなかった、と報告しています。

11便と１７５便については、約１年後にニューヨーク市主任検死官が、11便から33人、１７５便から12人の遺体の身元が確認されたと発表しました。しかし遺体が遺族に返されたかどうかは不明です。

犠牲者の遺族に対する救済措置が、９月22日大統領令として法律化されました。この犠牲者家族救済法による多額の賠償金支払いと遺族に対する厳重なかん口令によって、死者に関するすべては闇の中に葬られてしまったのです。

さて、それでは接収された飛行機は、どのように処理されたのでしょうか。11便、１７５便、77便の３機は軍の飛行場の滑走路に、93便はクリーブランド・ポプキンス空港に残されていました。テロ発生３日後に、飛行禁止命令が解除になると、飛行機はそれぞれの航空会社が送ってきたパイロットによって、各自の所属会社に戻りました。そのうちの２機は、その後も営業に使用されたのです。

（3） 世界貿易センタービル爆破

世界貿易センターは、7つのビルで構成された複合ビル群です。

東部標準時間8時46分に、世界貿易センターのツインタワー1号棟に、全長47メートルをこす大型飛行機が突入。18分後の9時3分に、同型の飛行機が2号棟に突入しました。

飛行機の突入直後ビルからは黒煙が吹き上がり、その後しばらくして、猛烈な速度でビルは一気に崩れ落ちたのです。崩壊に要した時間は、1号棟が10秒、2号棟が9秒でした。ツインタワー崩壊の原因は、政府発表ではジェット燃料の燃焼によってビルの鉄骨が溶けその結果、床が自重によって上の階から順番に落下して、ビル全体が崩壊したとなっています。これをパンケーキ理論といいます。しかし政府発表は、まっ赤なウソです。パンケーキ理論に基付く崩壊ならば、96秒かからなければなりません。実際には、ビルは物体の落下速度とほぼ同じ速さで崩壊しているのです。ツインタワーの崩壊により、その周りにあった9階建から22階建の、3号棟から6号棟までのビル群は、ツインタワーの瓦礫の下敷きになりました。

7号棟は47階建の高層ビルで、他のビル群からは通り一つ離れて建てられていました。従ってこのビルだけは、事件の影響を免れていたのです。ところがテロ当日、9月11日の夕方5時20分に、突然崩れ去ってしまったのです。政府の９１１調査委員会の、７号棟崩壊に関する調査結果は、「原因不明」というものでした。

＊

テロ事件直後に「政府発表のジェット燃料によるツインタワー崩壊は、物理学的にありえない」という声明を発表した学者がいます。ブリガム・ヤング大学のスティーブ・ジョーンズ物理学教授です。ビルの内部で鉄骨がドロドロに溶けて、滴り落ちているビデオの拡大映像を見て、彼は酸化鉄の化合物と爆薬を併用してビルは爆破されたと考えました。この方法を用いれば、２秒で鉄骨の融解点である摂氏１５１０度を超える摂氏２４８２度に達するからです。ジョーンズ教授の学者としての意見の表明は、彼に不幸をもたらしました。彼は大学を追われてしまったのです。そのうえにユーチューブにあった教授の複数のビデオがすべて削除されてしまいました。このことからも政府発表はまっ赤なウソであり、ツインタワーは何らかの爆薬によって破壊されたという、事実が鮮やかに浮かび上がってくるのです。

しかしジョーンズ教授の意見では、説明のつかない事実があるのです。

ツインタワーの崩壊には、まったく前例のない特異な現象が残されました。それを調査委員会が、原因不明として闇に葬ってしまった7号棟と比較すると、その特異性が明らかになります。

7号棟は、９・１１テロ決行後に解体されることになっていました。7号棟は、このテロ事件において、指令本部としての重要な役割を果たしていたからです。従ってビルは、予定どおり証拠隠滅のために、解体業者によって爆破解体されたのです。通常の方法によって爆破された7号棟の敷地内には、ビルの残骸が山となって残されました。

ツインタワーでは、超高層ビルの外壁と床に使われていた33万立方メートルのコンクリート、ビルの外側に使われていた数百枚の窓ガラス、照明に使われていた数千本の蛍光灯などが、すべて粉々の粉塵になりました。それらはダウンタウン一帯に10センチの厚さで、まるで雪のように積もったのです。ここまでビルを、粉々に粉砕することのできる爆薬とは、いったい何でしょうか。

このことについて「9・11テロの超不都合な真実」の著者「菊川征司氏」は、その特定をほのめかすに止めました。それは「すでに実用化された純粋水爆かもしれない」という表現です。菊川氏は次のように記しています。

「あるいは起爆装置に原爆ではなくて、常温核融合を利用した新式の、純粋水爆のような放射性爆発物が完成していて、それを使ったのではないか、という説も出ています。ですが真相は不明のままです」

菊川氏は、このような表現をしています。それはあくまでも、事実に基づいた正確な情報を提供しようとする態度、によるものだと思います。しかし菊川氏のここまでとその後の記述を総合すると、使用されたのは「工事用水爆」であると、断定すべきことのように思われます。少なくとも「小型の純粋水爆」が存在すると仮定して思考すること、世界状勢をウォッチすることは、有意義でもあり実際的でもある態度だと思います。「核」に対する警戒を、ゆるめてはならないのです。後の章で詳述しますが、超大国アメリカの「核」に対する態度が異様です。核戦争止むなし、とさえ思えるような言動です。このような状況の中で「純粋水爆」がすでに実用化されているのだとすれば、そしてそれが公表されることなく秘蔵されているのだとすれば、それは「核抑止力」の均衡を突き崩す大問題であるばかりではなく、後の章で述べる「核による人口削減」に直結しかねない深刻な事態の到来を意味するのです。

９・１１で使われた工事用水爆は、「超爆弾」という名目で、すでに実戦に使用されているのかもしれません。と言うのは、水素の核融合は放射能を放出しないので、核兵器が使われたかどうかの判別は、直ちには困難だと思うからです。

これまでに知られている水素爆弾は、原子爆弾を起爆装置に使っているために、必ず放射能が発生しました。アメリカ軍が永年にわたって水素爆弾の研究を進めてきたことは、衆知の事実です。従って、レーザーや常温核融合を起爆装置に使った水爆が存在していても、特に不思議ではありません。

ツインタワー崩落の現場には、水爆の使用を裏付ける間接証拠があったのです。テロ事件の後日、グランドゼロの付近で通常の８倍程度のトリチウムレベルの上昇が観察されたのです。トリチウムは三重水素と言われる水素の同位体で、自然界にはごく微量しか存在せず、多くは核実験時や原子炉内で発生する物質です。このレベルが上がったということは核爆発、それも原爆ではなくて、格段に破壊力の大きい水素の核融合に近いことが、発生したとしか考えられません。

このことに関連して菊川征司氏は、政府の秘密プロジェクトに従事していたフィル・シュナイダーという、地質学者の身の上に起こった不幸な事件をレポートしています。

「驚くべき情報としては、この爆発物の存在を今から10年以上前に、明確に指摘した人物がいたことです。フィル・シュナイダーという地質学者です。この人物は仕事の関係上、爆発物にも精通していて、長い間政府の秘密プロジェクトに従事していました。彼は１９９３年に起きた、世界貿易センタービル地下の爆破事件について意見を求められたとき、爆発直後の現場の写真を見て――この支柱の崩れ方は、工事用の水爆が使われている――と、はっきり断言したのです。

彼によると、起爆剤に原爆を使わない小型の水爆が、１９９５年の時点ですでに開発されていて、おもに工事に使われていたと言うのです。

フィル・シュナイダーは、彼自身が関係してきた軍の地下基地建設について、内部告発の講演を数回にわたって行いました。そして翌１９９６年には、フロリダ州を皮切りに、政府の秘密プロジェクトの公表をテーマにして、全米中に講演旅行をする予定でいたのです。しかし、この計画は実現しませんでした。１９９６年1月、フィル・シュナイダーを訪ねてきた友人が、彼の死体を発見しました。フィルは彼の自宅の居間で、首に太いチューブを巻きつけられたまま死んでいたのです。死後一週間近く経っていたらしく、警察は自殺として処理しました。しかし遺体が発見された翌週から、フィル・シュナイダーは、講演旅行に出発することになっていたのです。」

＊

政府の秘密を敢えて暴露しようとすれば、政府が黙っているはずがありません。フィル・シュナイダーは暗殺されたと見て間違いありません。そして水素爆弾は、すでに小型化され実用化されていると判断すべきことと思います。

＊

「タワー崩壊に群がった強欲犯罪」

9・11同時多発テロとは、国家権力による極悪非道の犯罪事件です。お上が途方もない犯罪をやらかした以上は、当分は何をやっても大丈夫とばかりに、世界貿易センタービル崩壊を舞台にして、おびただしい数の犯罪者が群がり、無数の犯罪が行われました。しかし、ここでの犯罪事件はマスコミによって、報道されることはありませんでした。それればかりか、FBIさえも知らん顔をしていたのです。

国家犯罪の特徴は、「知らぬは庶民ばかりなり」という点にあります。一般市民以外はみんなグルだからです。日本のマスコミも同じ穴のムジナです。このような状況の中で、唯一人だけ、９・１１同時多発テロについてのアメリカ政府の公式発表に対して、疑問を投げかけた政治家がいました。民主党の藤田幸久参議院議員です。彼はテロに付随した犯罪事件の、ほんの一部である株のインサイダー取引について口にしただけでしたが、ワシントンポスト紙を使っての、アメリカの反応は過激でした。この藤田発言を巡っての日米間のやり取りが、２０１０年3月10日付の毎日新聞に掲載されました。要旨を抜粋します。

「ワシントンポスト紙が、民主党の藤田幸久〈参院議員〉を名指しで批判しました。その内容は――藤田議員は、９・１１同時多発テロを壮大なでっち上げと考えている。それは奇怪すぎる考えであり、鳩山政権と民主党内にいる反米主義者の見方に根付いたものである。そしてこれは藤田議員の個人的な考えとは言い切れない――というものでした。

これに対して、藤田議員の主張と反論は次のとおりでした。

――９・１１は、本当にテロリストの仕業か疑問だ。影の勢力が計画を事前に知り株式市場で利益を得た。――との考えを示唆し、――不明なままになっている事件（９・１１）の諸点を指摘したにすぎず、ワシントンポストは事実を歪曲した扇動的報道をした。と反論をしたのです。

これに対して鳩山由紀夫首相は、次のように述べました。――藤田議員の個人的見解だ。党の見解でもないし、ましてや政府の見解でもない。――」

それではハリウッド映画顔負けの、小説よりも遥かに奇なる犯罪の数々をレポートします。


〈９００億円相当の金塊を火事場泥棒〉


事件が発覚したのは10月30日でした。瓦礫の撤去中に、片側に5個の車輪を持つ大型トレーラーが、時価２４０億円の金の延べ棒を荷台に積んだまま、５号棟の地下トンネルで発見されたのです。隣の４号棟の地下には大金庫があり、その中には近くの銀行やニューヨーク商品取引所から預かった総額１１４０億円相当の、金塊と銀塊が保管されていました。

トレーラーの金塊は、カナダのノバ・スコシア銀行の持ち物でした。残りの９００億円の金塊と銀塊は、すでに持ち出されていて、４号棟の大金庫は空っぽになっていたのです。

トレーラーの周りには、４~５台の自動車がトレーラーを囲むような位置で、瓦礫の下敷きになっていました。しかし死体はありませんでした。

トレーラーに積まれていた２４０億円相当の金塊は、重量にして24トンになります。盗み去られた金塊と銀塊は、84トンです。これだけの重量の金塊と銀塊を運び出すには、相当な機動力と4台前後の大型トレーラーが必要となります。事件当日の朝に84トンの積載を完了し、それから運び出すことは不可能です。犯人たちは事件前夜に積み込み作業を開始して、当日は運び出しと使用した機材の後始末をやったと思われます。その最中に、予想外の出来事が発生したために、最後のトレーラーがビルから抜け出る直前に、瓦礫に巻き込まれてしまったものと思われます。

この大規模な強奪作業を成立させるためには、まず第1に犯人たちは金庫の開け方を知っていなければなりません。第2に当日の朝に、火災警報機が鳴り出さないように、黙らせておかなければなりません。どちらも警備会社の協力が不可欠です。

奇妙な出来事がありました。世界貿易センタービル全体の火災警報機が、9月11日朝6時47分に8時間のテストモードに、切り替えられていたのです。火災警報機にアクセスできるのは、警備会社だけです。従って、この点から見ても、彼らが同時多発テロ実行犯の一味であることは明らかです。そして貿易センターの超高層ビル2棟を、10秒足らずで粉砕してしまった「新型水爆」の設置と、7号棟の通常爆薬による解体には、やはり警備会社の全面的な参加が必要です。

一体この会社は、何者なのでしょうか。実はこの会社は、セキュアコムという名前で、1993年から2000年までの会長を務めたのが、マービン・ブッシュという人物です。彼はブッシュ大統領の末弟です。１９９９年から２００２年までの実行責任社長を務めた人物は、ワート・ウォーカー３世です。彼はブッシュ大統領の従兄弟です。

これらの事実から、金塊泥棒事件とは、アメリカの国家プロジェクトの一環であったと判断しなければなりません。これこそが究極のクレプトクラシー、完成された泥棒国家の素顔だと言えるでしょう。

＊

貿易センタービル粉砕という、かつて類例のない大がかりな爆破プロジェクトには、司令部と司令官が必要です。それが7号棟23階に設置されていた「ニューヨーク市長直属の緊急事態対策本部」です。ここを拠点にして世界貿易センタービルで起こった「すべてのこと」が、執り行われました。司令官にして総括責任者は、ニューヨーク市長ルドルフ・ジュリアーニです。しかし、すべてのお膳立てをして、その上に金塊運び出しの司令と、ビルに突入した飛行機の最終の無線操縦をやったのは、イスラエルの諜報機関だと推定されます。

ニューヨーク市長ルドルフ・ジュリアーニの最大の任務は、ここで行われたテロ事件のすべての証拠を隠滅することでした。彼は証拠隠滅という違法行為にらつ腕をふるった功績により、２００１年の「タイム誌」の今年の人に選出されました。そして２００２年には、英国のエリザベス女王から、ナイトの称号を贈られたのでした。

〈株のインサイダー取引でボロ儲け〉

藤田幸久議員が指摘し、盗人猛々しくもワシントンポスト紙が、恫喝をこめて噛みついてきて、時の総理大臣がヘナヘナと逃げを打ったのが、この「インサイダー取引」事件です。すべて、同時多発テロ発生を事前に知っていなければ、できない犯罪です。

株の売買方法の一つに、プットオプションと呼ばれるやり方があります。それは、ある一定の期間内に株が値下がりすると予測した方に、賭ける方式です。

テロに使われたユナイテッド航空が、9月4日に通常の4倍、ボーイング社が7日に5倍、アメリカン航空がテロ前日の10日に11倍の、プットオプションが買われています。この売買の利益は、2億4000万円から4億8000万円と見積もられています。

この他に同時多発テロにより、大きく損害を受けた次の会社が買われています。

スイス・リー再保険会社及びドイツ・ミュンヘン再保険会社「盗まれた金塊を含め、世界センタービルの保険引受」

モルガンスタンレー「ツインタワーで22階分のフロアーを使用」

プットオプションを大量に買った会社は、次のとおりです。

ドイツの投資銀行アレックス・ブラウン社が、大量にプットオプションを買っていました。同社を通じてプットオプションを買って儲けた会社一覧を記します。

ドイツ銀行。ＨＳＢＣ。バンク・オブ・アメリカ。メリルリンチ。モルガン・スタンレー。リーマンブラザーズ。ディーンウィッター。アクサ。ゼネラルモーターズ。レイセオン。

この他にイスラエルの投機グループが、カナダのトロントとドイツのフランクフルトを基点にして、38銘柄の値下がりを見越して、短期の売りに出ました。彼らは下がったところで買い戻して、26億４０００万円を儲けました。

〈史上最高額にして、しかもお咎めなしの保険金詐欺〉

世界貿易センターの土地建物は、ニューヨーク・ニュージャージー公湾公社という、地域開発公団の所有でした。公団の議長は、ルイス・アイゼンバーグというシオニストです。

ここの7つのビルすべてについて、99年間の長期リース権を獲得した人物がいます。それも９・１１

テロの6週間前、7月24日に獲得したのです。その人物とは、ラリー・シルバースタインという不動産業者です。彼は本来ならば、９６００億円の価値のあるこの物件を、なんと３８４０億円という安値で手に入れました。成立するはずのない、このベラ棒な取引を、ルイス・アイゼンバーグに承知させた黒幕がいたのです。それはアメリカ大統領を事実上の番頭・使用人として使い捨てている人物、デイビッド・ロックフェラーです。

貿易センタービル群の、保険の掛け金は18億円でした。そして、この保険証書には「この建物がテロで崩壊したら……」という条文があり、ビルの崩壊後に建物を再建する権利は、リース権保持者だけが持つと書かれているのです。

ビル崩壊後すぐに、シルバースタインは保険を請求し、保険会社は規定の保険金４２６０億円を支払おうとしました。しかし彼は「テロ攻撃は2度あったのだから、保険金は2回分支払われるべきだ」と主張して訴訟に持ち込んだのです。その結果ラリー・シルバースタインは、５５２０億円を受取った模様です。

世界貿易センタービルは、アスベストを大量に使って作られていました。もしも取り壊すとすれば、その経費として１２００億円はかかるだろう、と言われていたのです。しかしテロのおかげで壊す手間がはぶけ、瓦礫の撤去費用は全額政府負担となり、その上に、新規建設費用の半分は、政府負担となる見込みです。更にテナントとの関係は、ビルの崩壊によって消滅しているので、新築のビルでは全室が新規契約となります。

不動産業者にとっては、まさに夢のような大ベラ棒な儲け話だった訳で、アメリカンドリームならぬアメリカンナイトメアとでも、言ってみるところでしょうか。

〈どさくさ紛れの銀行強盗〉

ツインタワーの中には銀行がいくつかありその中にはメインコンピューターを置いた銀行がありました。

ツインタワーの崩壊直前に、何者かがクレジットカードを使って、１２０億円を引き出したのです。しかしコンピューターが壊れてしまった結果、引き出された金額の返済請求は不可能となりました。

１２０億円という大金を、個人がクレジットカードで引き出すことは不可能です。従ってその何者かは、飛行機が突入し、ビルの崩壊がはじまるまでの1時間の間に、自分の銀行を通して犯行におよんだと推測されています。しかし犯人の追求は行われませんでした。

以上の犯罪を一べつすると、まさに百鬼夜行、貿易センタービルの死骸に群がる化物たちの饗宴、という印象を受けます。そして、いかに多くの人々が、テロ計画を知っていたかという事実に、とまどいを覚えます。そしてテロ計画を知って犯罪に走る人々はいても、警告の叫びも非難の声も、どこからも聞こえてはきませんでした。もしもテロ後13年経った現在の日本で、このような事件が企てられたとしたら、インターネット上に警告のメッセージが流されるでしょうか。轟々たる非難の声があがるでしょうか。それとも根拠のない妄想妄言として黙殺されてしまうでしょうか。どちらになるにせよ、そこが歴史のターニングポイントであることだけは、確かです。

ツインタワーの崩壊に関連して、このこと自体は犯罪とは言えませんが、それ以上におぞましいエピソードを二つ、紹介します。

〈ハネムーンに捧げるタワー崩壊ショー〉

ロンドンのロスチャイルド家主人、エヴリン・ロバート・ド・ロスチャイルド卿とその花嫁の二人が、ニューヨーク市内にマンションを借りました。彼らは1年前に結婚式を挙げたばかりの新婚で、借りたのは9・11テロの約1ヶ月前のことです。二人のマンションは、イーストサイド52丁目のハドソン川沿いにあるリバーハウスという建物で、17階と18階を借り切りました。ロスチャイルドのようなスーパーリッチが居住するとしたら、緑にあふれるセントラルパーク沿いの、高級住宅を選ぶのが普通です。しかしアップタウンは、貿易センターからは遠すぎます。かといってダウンタウンではセンターに近すぎて、タワー崩壊の時には、なんらかの災難に巻き込まれる可能性があります。イーストサイド52丁目からは、貿易センタービルがよく見えます。そして崩壊に伴う危険からは、遠い位置にあるのです。

どう考えても、新婚の二人はセンタービル崩壊見物に、やってきたとしか思えません。世界権力というスーパーパワーを構成する人たちは、誰もが9・11テロのことを前もって知っていて、その日の到来を期待に胸を高鳴らせながら、待っていたのに違いありません。21世紀最大のスペクタクルを、3000人もの人々の阿鼻叫喚を、新婚生活に添えられた「花」として、この二人は楽しんだのでしょうか。

〈消えたイスラエルの民〉

世界貿易センタービル関係の死者は、正確には2749名です。その内、外国籍の死者は80ヵ国500名です。日本人も24名が亡くなっています。

このセンタービルには、約４０００人のイスラエル国籍の従業員が働いていました。しかし、イスラエルの人たちは全員無事でした。唯の一人の犠牲者も出なかったのです。なぜならば、テロの当日に、イスラエル人は一人も出勤しなかったからです。

ちなみに、80ヵ国から犠牲者が出たというのに、イスラエル人の犠牲者は一人もいませんでした。

（4）　暗殺のバラード・ペンタゴン爆撃

ペンタゴンにはアメリカン航空77便が、64人の乗客を乗せたまま突入したことになっています。しかし、この政府発表はまっ赤なウソです。突入したのは、大型飛行機ではありません。上空に待機していた空軍の戦闘機が急降下して、空対地ミサイルを撃ち込んだと推測されます。

そもそもにおいて、アメリカ軍の頭脳であり、国家の心臓部であるペンタゴンが、いとも簡単にテロ攻撃を受けるという事、それ自体がナンセンスなのです。それはあり得ないことであり、不可能なはずのことなのです。ペンタゴンは、ハイテクを駆使した鉄壁の守りの中に在ってしかるべき、だからです。

問題は、なぜこんな危険きわまりない大狂言をやったのか、そうしなければならなかった理由は何か、という点にあります。本来ならば国家と軍の威信を失墜させるようなことを、あるいは自分自身の顔に泥を塗るようなまねを、敢えてやった理由は何だったのでしょうか。

＊

テロ前日の９月10日に、ラムズフェルド国防長官が記者会見を開きました。

「軍が２０００年の会計年度に、１３２兆円（１・１トリリオンドル）にのぼる使途不明金を出した」

そういう内容の発表をしたのです。１３２兆円という金額は、日本の平成19年度の予算総額（82兆９０８８億円）の約１・６倍です。あるいはアメリカの総税収入（２０００年度）は２０２兆円ですから、総税収入の半分以上になります。そんな巨額の金を軍が使ってしまった。そして「その使い道はわかりません」という会見を、ラムズフェルド国防長官はしたのです。途方もない大ベラボウな発表であったにもかかわらず、この記者会見は、まったく報道されませんでした。このことは、いくら強調してもしすぎることはないと思います。全米には膨大な数のメディアがありますが、唯の一社も報道しなかったのです。その結果、アメリカ史上空前の大スキャンダル事件となるべきはずの、軍による巨額使い込み事件は、人知れず地下に潜ってしまいました。

実はペンタゴンは、前年の１９９９年にも２７６兆円（２・３トリリオンドル）の使途不明金を出しています。この年の総税収入は約２１９兆円です。従って軍は、税収よりも３割も多い大金を使い込んでいたのです。１９９９年と２０００年は、民主党のクリントン政権でした。問題は共和党のブッシュ政権には、民主党の犯した悪事を追求するつもりなぞ、まったくなかったという事実です。そればかりかブッシュ政権はこの事件の証拠を隠滅し、一切の調査ができなくなるように取り計ったのです。それが「ペンタゴン狂言テロ攻撃事件」です。具体的には、すべての証拠を隠滅するために、次のような手順で事が運ばれたと、考えられています。

＊

まずはじめに、ペンタゴンに勤務している軍人の手によって、館内に爆薬が仕掛けられました。爆殺のターゲットは、会計士と帳簿整理の担当者全員でした。すべての会計書類を消失させるという、重要な目的もありました。

9時32分に爆破があり、会計士と帳簿整理担当者全員が爆殺されました。続いて会計書類が焼失しました。爆破から6分遅れて、同じ場所にミサイルが打ち込まれました。このようにして、軍による巨額使い込み事件は、闇から闇に葬られてしまったのです。

なお、ペンタゴンでの犠牲者は１２５人です。これらはすべて民間人で、軍人は一人残らず無事だったのです。

（5）　英雄ごっこ・シャンクスビルの猿芝居

４機目の飛行機（ユナイテッド航空93便）が墜落したとされるのが、ペンシルバニア州シャンクスビルです。この飛行機はホワイトハウスに突入する予定でした。ところが、このことに気が付いた乗客たちが、テロリストに立ち向かい、乱闘の最中に墜落した、というのが政府の発表でした。そしてこの事件は、アメリカ人の愛国心に訴えるところとなり、映画にもなりました。しかし、このストーリーは全部ウソです。

………シャンクスビルの墜落現場には……
「飛行機の残骸がなかった」生中継のテレビのインタビューに対しての、救助隊員の答です。
「死体がまったくないので、自分の仕事がない」現場に駆けつけた検死官の、コメントです。この二つのニュースは、その時一回限りで消えてしまいました。その後は、どの放送局からも二度と放送されることはありませんでした。

死体と飛行機の残骸以外ならば、様々な遺留品が発見されました。それらは、周囲10キロメートルほどの範囲にちらばっていて、地域の住民によって当局に届けられました。これらはすべて、ＦＢＩの偽装工作によるものです。墜落についての、複数の目撃証言がありますが、全部ヤラセです。

「アラブ人によってハイジャックされた」と、機内から乗客が携帯電話で知らせてきたという、発表もありました。しかし、それは不可能です。２００1年9月の時点では、飛行中の機内から地上にかかる携帯サービスは、まだ存在していませんでした。にもかかわらず被害者の家族からは、本人からの電話があったという証言があります。このタネ明かしは簡単で、音声変換装置を使っての芝居です。１９９2年にロスアラモス国立研究所で、空軍が「特定個人の10分間の音声録音があればその人の声を正確にコピーして再現できる音声変換装置を開発した」という報告があります。機内から電話をかけて、機内の様子を知らせてきたとされる人たちは、実行犯の一味です。全部で18人いました。そして、この18人の中の1人の遺体でも犠牲者として遺族に返却されていたとしたら、口封じのために全員が殺されている可能性が高く、1体も返っていなかったとしたら、全員が身元を変え大金をもらって、まったく別人としてバハマかどこか南海のパラダイスで、気ままな生活を送っているはずです。しかし彼らの消息は、まったくの不明です。

2、地球温暖化のウソ

「序　説」

９・１１テロ以後、アメリカは予定どおりにアフガニスタンとイラクを攻撃し占領しました。そして、奪うべきすべてのものを手中に収めました。この間に直接と間接を併せて、２００万人から３００万人の罪なき人々が死んでゆきました。しかし、このアメリカの蛮行と強奪行為に対して、先進諸国のどこからも非難の声はあがりませんでした。そればかりか、ヨーロッパ諸国はＮＡＴＯの同盟軍として、アフガニスタン戦争とイラク戦争に参戦したのです。日本もまた復興支援という名目で、自衛隊をイラクに派遣することによりアメリカの侵略行為を是認し、その正当性を支持する立場を示しました。

このようにして、今や世界は不正義の支配する所となりました。そしてすべての政治的メッセージは、完全にウソで固められてしまったのです。そのウソの中でも、世界を席倦した大ウソが「地球温暖化キャンペーン」です。二酸化炭素による地球温暖化脅威論は、科学的知見に基づくものではなくて、世界権力による政治的プロパガンダなのです。それは同時に、非常に悪質な権力犯罪でもあるのです。なぜならば「地球温暖化脅威論」には人類の生存そのものを危うくする危険性が、多分に含まれているからです。

本章では地球温暖化とその脅威論のウソを、徹底的に明らかにします。そして後の章で、誰がいかなる意図と目的をもって、地球温暖化の脅威を流布したのかを詳述します。

「無実の罪を着せられた二酸化炭素」

地球温暖化の原因は、人類が排出する二酸化炭素であり、それが大気中に満ちあふれて大気の組成を変え、温暖化を加速させているというのが、地球温暖化のテーゼです。そして温暖化防止のために二酸化炭素の排出を抑制しなければならない、という世界的なキャンペーンが行われ、現実の政策として採用され推進されました。しかしこれは、まっ赤なウソです。地球温暖化とその脅威として流布されているすべてが、まっ赤なウソなのです。

科学の真実は非常にシンプルです。まず第一に、地球は温暖化などしていないのです。そして二酸化炭素は、決して地球温暖化の原因にはなりません。人類が二酸化炭素をいくら増やしたところで、どういうことはありません。なぜならば地球の大気中における二酸化炭素の割合は、質量比で0・054%、体積比で0・04%にすぎないからです。その増加率は1PPMから、最大で1・4PPMです。つまり大気中の１万個の分子中、二酸化炭素は４個しかなく、毎年二酸化炭素の分子は、１００万個の分子中、１個ずつしか増えていない、ということなのです。

要するに、二酸化炭素が地球の環境に対してなんらかの影響を及ぼすには、それが大気中に占める割合が小さすぎるのです。地球は半径６４００キロメートルの天体で、これを厚さ20キロメートルの大気の層が包んでいます。人類の活動など、あまりにも小さなものにしかすぎません。

「地球温暖化現象　ウソ一覧」

Ａ　ツバル・でっちあげの沈む島

ツバルが温暖化の影響で水没しつつあるというデタラメを、日本中に広めたのはＮＨＫです。この洗脳放送が最初に流されたのは、２００６年４月30日のＮＨＫスペシャル・同時３点ドキュメント第４回煙と金と沈む島・という番組です。この時以降、新聞をはじめとするほとんどのメディアが、まるでしめし合わせたかのように、一斉に同じような内容の報道をするようになりました。しかしツバルは水没していません。ＮＨＫの浸水している島の映像は、ツバルの首都フナフナのあるファンガファレ島です。

この島は満潮時には島全体が冠水して水の下に沈みます。それが珊瑚礁の島の大昔からの、あるがままの自然な状態なのです。珊瑚礁はサンゴが群生することによって形成されます。サンゴは刺胞動物という海中の生物です。従って珊瑚礁は海面下で形成されますが、海面より高く成長した珊瑚礁でも、毎日数時間は海面下にあります。乾いたままの状態が続けば、サンゴが死んでしまうからです。つまり珊瑚礁の島ツバルは、満潮時には海面下にあるのが当たり前なのです。このことは１００年以上も昔からわかっていたことなのです。ツバルは約１１０年くらい前に、イギリスの信託統治下に入りました。その時のイギリスの係官が本国に打電した内容とは「珊瑚礁でできている島は、満潮時に島全体が冠水して水の下に沈む」というものだったのです。

ツバルの地盤が沈下しつつあるのは事実です。しかし海水面の高さに変化はありません。従って海水の噴出や地盤沈下は、ツバル独自の事情によるもので、もともと、ありもしない地球温暖化とは無関係なのです。

ツバルは第2次世界大戦の時に、はじめは日本軍が占領しました。次に日本軍を放逐してアメリカ海兵隊が上陸し、ここに飛行場を作りました。飛行場は戦争遂行のために作られた急ごしらえの、応急的なものでした。１５００メートルの滑走路を持つ飛行場でしたが、土砂を運搬する余裕がなかったので、付近のサンゴを盛り土代わりに使って整地したのです。戦後70年近くも経った現在、ツバルは自然本来の姿に戻ろうとしているのです。

これらの事実は広く知られています。そこでＮＨＫは、２月下旬の大潮の時期に、わざわざ撮影に行きました。つまり彼らは「水没するツバル」を撮影に行ったのです。これは明らかに、地球温暖化の脅威を煽りたてるためのヤラセです。「水没するツバル」とは、地球温暖化脅威論で国民を洗脳する目的で作られたＮＨＫの、でっちあげだったのです。

問題は誰が何の目的で、地球温暖化脅威論を世界中に広めているのか、ということにあります。この件については後の章で詳述します。

Ｂ　失笑　北極グマの悲劇

２００８年の上半期にＮＨＫは温暖化の脅威として、氷上生活をしていた北極グマが、氷のなくなった海で溺れたり、溶けてなくなりそうな氷に乗って途方に暮れている様子を繰り返し放送しました。おまけにＮＨＫの「みんなのうた」で「ホッキョクグマ」という歌まで作って、地球温暖化が健気なホッキョクグマを、どれほど苦しめているかということを、感情に訴える形で煽りたてたのでした。しかしＮＨＫのこれらの放送は、まったくの大ウソです。

北極海の面積は、約１４００万平方キロメートルです。２月から３月にかけて、北極海はほぼ全域が結氷します。春になると氷は溶けはじめ、９月には４００万から５００万平方キロメートルの広さになります。夏には、北極海の氷の面積は冬の３分の１に縮小します。北極では、これを毎年繰り返しているのですが、年によって、夏の氷の面積には変化があります。しかし氷が全部溶けてしまうことはもちろん、大幅になくなることもありません。１００万平方キロメートル程度の差がでるだけです。従って、氷の上で生活していた北極グマが住む場所を失い、水に溺れてしまうなどとは、ナンセンスとしか言いようがありません。このような映像は異常であり、どうやって作ったのか知りませんが、ＮＨＫ一流のヤラセで、でっちあげであることは間違いありません。

ＮＨＫという公共放送局が、どれほど厚かましく恥知らずであるか、ということを明らかに示したのが、みんなのうたの「ホッキョクグマ」の歌でした。この歌のサワリを抜粋します。「氷がどんどん溶けはじめ、ホッキョクグマは毎日じりじり追いつめられる。暑い、暑い、なんとかしてよ。小さくなった氷の国で、ホッキョクグマの叫びはつづく」

この歌のメインテーマである「暑い、暑い、なんとかしてよ。ホッキョクグマの叫びはつづく」には、笑ってしまうより他にありません。上野動物園にも北極グマはいます。真夏の東京はセ氏35度を超える日も少なくありません。さすがにこのような猛暑の中では、北極グマをはじめ虎も象もライオンも、ほとんどの動物がグッタリしています。それでも、暑気払いに肉やフルーツの入った氷の固まりを与えられたりして、それなりに彼らは元気に夏をすごしています。

北極の夏の暑さとは、いったいどれほどのものなのでしょうか。いくら暑くなったとしても、北極ではセ氏零度を超えることはまずありません。なぜならば北極には一年中氷があり、最も少なくなった状態でも、４００万平方キロメートルに広がる氷原が存在するからです。

「かわいそうな白クマ」に最も敏感に反応するのは、幼い少年少女だろうと思います。子供の頭にウソを吹き込んで、その心をかき乱して、ＮＨＫはいったい何をしようというのでしょうか。この事例は卑劣きわまる犯罪ですが、文部科学省をはじめどの行政機関からも、言論界からも、なんの非難も告発もありませんでした。

Ｃ　中学校の理科を怠けた大都市水没論者

日本で最初に地球温暖化キャンペーンをやったのは、朝日新聞でした。それは今から30年近くも昔の、１９８４年１月１日のことでした。シミュレーションという体裁で、地球温暖化のために海水面が上昇し、今にも東京が水浸しになるような扇動記事を掲載したのです。その記事の見出しのどこにも「仮想の物語」であることの、ことわり書きはなく、読者に対して現実に進行中の現象だと、思い込ませるように作られてあったのです。その内容は「気温が高くなると極地の氷が溶けて海水面が上昇し、東京が水浸しになって山間部へ首都を移さなければならなくなり、遷都には6兆円、時間は20年かかる」というものでした。この記事には新聞社の意図をカモフラージュするための、但し書きがありました。それは「50年後の２０３４年1月1日の新聞に、このような記事が載るだろう」というものでした。これが正月の余興ではなかった証拠に、これ以後地球温暖化と極地の氷の溶解が、新聞やテレビなどのマスメディアで、しきりに取りあげられるようになったからです。

北極の氷が全部溶けて水になってしまったとしても、海水面の高さには1ミリの変化もありません。なぜならば北極の氷原の下は、すべて海だからです。北極とは、海に浮ぶ巨大な氷の固まりなのです。たぶん、どなたも中学生の頃にアルキメデスの原理を、理科の時間に習っただろうと思います。もう一度、思い返して下さい。氷が水に浮くのは、水が凍る時に体積が増えるからです。つまり同じ体積ならば、水より氷の方が軽いので、水に浮くのです。従って、水に浮いた氷が溶けると水の体積が小さくなり、海水面上に顔を出している部分が体積としてはなくなる計算になります。これは氷が水に浮いている状態であれば、アイスコーヒーでもウイスキーの水割でも同じことです。氷が全部溶けても、中身がテーブルにあふれ出すことはありません。南極についてです。仮に温暖化が相当に進んだとしても、それによって南極の氷は溶けません。従って海水面が上昇することもありません。なぜならば、南極大陸は極寒の地であって、南極大陸の中心部の温度はセ氏約零下50度です。そして大陸周辺の海域では温度が上昇すれば、海水面からの蒸発が盛んになります。蒸発した水は、すべて雪となって大陸奥地に吹き寄せられ、降り積ります。むしろ南極の氷は増えてしまうのです。

D　ホントを見せてウソをつくダマシの高等テクニック

２００９年にＮＨＫは地球温暖化で、キリマンジェロの雪が溶けている、という放送をしました。キリマンジェロは、アフリカにそびえる標高５９００メートルの高山です。ＮＨＫが放映したとおり、30年前と現在を比較するとキリマンジェロの万年雪は、確かに溶けて減少しています。しかしＮＡＳＡが人工衛星を使って測定した結果、５９００メートル付近の気温は30年前から変化がないのです。

キリマンジェロの万年雪が溶けて減少している原因は、太陽の光が強くなって氷が昇華しているか、あるいは麓の森林伐採によって上昇気流が増えていることによるものか、のどちらかというのが専門家の意見です。この議論はまだ決着がついていませんが、地球温暖化とはまったく無関係な減少であることだけは、確実です。

映像の訴える力は非常に強力なので、この章では主にＮＨＫのインチキを取りあげました。しかし本当に恐ろしいのは、日本のみならず世界中で、地球温暖化の脅威を前提として、政治と経済が運営されているという、まさにそのことです。

科学の真実は、地球はすでに寒冷化に向かっていると、語り続けているのです。

「忍び寄る地球寒冷化の脅威」

A　ヒートアイランド概説

セ氏35度を超える夏の暑さの中では、地球が寒冷化に向かっているとは、とても思えませんが、都会に特有のヒートアイランドと地球規模での気象変動とは、まったく別の問題です。

現代社会における都市と農村の人口比率は8対2で、ほとんどの人間が都会に住んでいます。これは世界的な現象で、ヒートアイランド問題は世界中の都市問題なのです。

ヒートアイランドの原因は、都市自身の排熱と構造にあります。都会はコンクリートやアスファルトで地表が被われているために、温度が高くなるのです。真夏のアスファルトの路上は、セ氏60度にもなります。もしもこれが土の地面ならば、土の粒の間に水分があり、水の気化によって温度が下ります。そして高層ビルの増加が、ヒートアイランドを作り出しています。高層ビルは朝に、昇ってきた太陽の発するエネルギーをさえぎって、都心に熱をこもらせてしまうのです。つまりヒートアイランドは人災であり、都市計画の無策が作りだした失政の産物なのです。その典型が東京都です。

東京都の地形は鍋底のようになっていて、空気がこもりやすく、熱がたまりやすい形をしています。しかし東京都という大鍋の底には、浦賀水道につながる東京湾という、巨大な水たまりがあります。水は熱を吸収しにくく、冷めにくいのが特徴です。このため東京都民は、東京湾のおかげで永い間、冬は暖かく夏は涼しいという恩恵をこうむってきました。しかし都政は、この東京湾を埋め立て続けてきたのです。

東京では昼間、コンクリートとアスファルトに囲まれた都心部は暖まり、上昇気流ができて暖かい空気が上空に行きます。そうするとかつては気温の低い海の方から風が吹きました。その風が都心を冷やしてくれたのです。しかし政治は、汐留・品川・お台場に高層ビル群を建ててしまいました。つまり東京湾と陸地の境界に、巨大な障壁を建造したのです。東京湾からの夏の涼風は、今となっては二度と再び、吹き込むことはありません。

明治初期には、年間で数日にしかすぎなかった東京の真夏日は、今や40日以上となってしまいました。こうなると夏の東京では、エアコンを使い続ける以外に生活のしようがありません。そしてエアコンの排出熱が、さらに都心の気温を押しあげる結果を生んでいます。

東京のヒートアイランドは、東京だけでは止まらず、遂にあふれ出した熱風が、周辺の都市までも襲うようになりました。しかし政治は、これからもまだ、高層ビルを建て続けようとしているのです。

B　地球・太陽・宇宙・概説

地球温暖化と寒冷化を云々するのであれば、その前提として、まず地球を次に太陽と宇宙について知らなければなりません。われわれが存在する銀河宇宙は、約１００億年以前に誕生したと考えられています。太陽はそれから50億年経った頃に生まれました。そして太陽が、すべてのエネルギーを使い果たして死の天体となるのは、今から５００億年後のことです。

太陽は直径１３８万キロの巨大な球であり、その中心核では１５００万度という高温で、水素がヘリウムに融合されています。このようにして生み出されたエネルギーの中から、可視光線・赤外線・電波などが、１億５０００万キロの宇宙空間を渡って、地球に到達します。地球上のあらゆる生命は、この太陽のエネルギーに依存しているのです。

地球は直径１万２７４２キロの球体で、太陽の１０００万分の１の大きさです。その体積は１兆８００億立方キロで、太陽系の中では、最も比重の大きい惑星であり、平均密度は水の５倍半になります。そして地球の年齢は、太陽系の他の惑星と同様に45億年と考えられています。

地球温暖化による気象の変動と、その影響で引き起されるとされる、低地の水没現象や動物の絶滅の危機などは、地球変動という巨大なうねりの中では、取るに足りない出来事にすぎません。地球温暖化デマゴギーを撒き散らしたのは、世界の政治と経済の頂点に立つスーパーパワーです。それにしても、同じでっちあげるなら、地球温暖化の脅威などという、尻抜けの馬鹿げた物語ではなくて、太陽と地球が絡み合って創り出す宇宙時間という雄大なスケールの中で、人類の努力奮闘にもかかわらず、迫り来る文明の危機というような物語を語ってくれたならば、少しは世界権力という存在を許容できると考えたかもしれません。しかし彼らは、莫大な財力と権力を併せ持ちながら、自らの権力基盤の強化と金儲けしか眼中にありません。従って「超権力」の発想は、案外に貧しくて卑しいのです。そして悪魔的と表現すべきほどに冷酷です。

地球物理学者は、宇宙時間における地球のさし迫った明日と、遠い未来の運命について次のように語っています。

＊　＊

地球上に起こる自然現象の多くは、けっしてそれ自体では決まらない。そのなりゆきを決めるのは無数の外部からの影響力である。大気や海洋や地殻のようなこみいった機構を、数学者は「複雑系」とよんでいる。確かに気体・液体・固体を包含する地球全体は、このうえもなく複雑な系である。純粋に気体だけから成りたっている太陽は、大きさは地球の１０００万倍もありながら、機構的にははるかに単純である。宇宙は、地球のような惑星を何億と持っているが、それらはさらに単純である。地球上で起こる現象は、太陽の進化に影響をおよぼさないし、太陽で起こった現象は、太陽が属する１０００億あまりの星の集合体である銀河系の進化に影響をおよぼさない。しかし、宇宙の進化は、銀河系に影響し、銀河系の進化は太陽に影響し、太陽の進化は地球に影響するのである。従って地球の究極の運命は、絶対的な確かさで予言することができる。それは、全体として数学的に単純な系である宇宙に依存するからである。

現代の地球物理学者は、地球のさし迫った未来について、多くの信頼できる質的な予報を行うことができる。彼らはこの問題について次のように語っています。

「海からぬけ出して、カナダや北ブラジルの楯状地のような中核から生長した大陸は、今後も生長し続けるだろう。新しい島弧を押しあげ、それを徐々に本土とつなぐ、太平洋をとりまく火山の「火の環」は、大陸と島弧のあいだを狭くし続けるに違いない。カリフォルニアとメキシコは、東太平洋海嶺の溺れ谷と台地を足場にして、おそらく西南方に広がり続けると思われる。シベリアとアラスカは、アリューシャン火山の助けによって永久に結びつき、エスキモー人、インディアン、マンモスの往来を可能にした太古の陸橋は、もう一度海からあらわれるだろう。アジア陸塊は、インドネシアと、おそらくオーストラリアともくっつき、約一億年前カンガルーやカモシカの先祖が最初にオーストラリアやニュージーランドに移住した陸橋を再現するであろう。

大陸が生長し、花崗岩が海洋底に広がれば、造山作用は必然的に衰える。今日地球の造山作用に主力を供給している放射能の熱は永遠に続くわけではない。すでに原始地球に存在した寿命の短い放射性物質は、崩壊して冷たくなっている。寿命の長いトリウム、ウラニウム、ボタシウムは、まだ地殻をつねに動かすのに十分な熱を供給しているが、これらの物質の総合半減期は約50億年と算定されているから、西暦50億年には今日のおよそ半分の数の山脈しか作れなくなるだろう。このことは、あいつぐ造山期のあいだに起こる浸食の期間を長くするので、地球の地形は今日にくらべるとまったく平らで、はっきりしない平均化されたものになる。一方、海洋は、つねに深くなっていく深淵にとじこめられ、ここから浅海として陸棚にはみ出す。

時がたつにつれて、不ぞろいな構造をもった地表は、しだいに平滑化されるので、人も獣も周期的な氷河期に悩まされることになるだろう。現在人類は、洪積世氷河期の末期か、あるいは、第４と第５氷河期の中間の短い休息期に位置している。

地質時代の大部分のあいだは、温暖な地方は快い亜熱帯的な気候にめぐまれ、北極から数千キロ以内にまでヤシの木が茂っていた。過去３０００万年のあいだに、海洋の底の温度は一定の速度でさがりはじめ、恐竜時代の終わりにセ氏21度からさがって、１００万年前に氷河期がはじまる時にはセ氏２度にまでおちていた。

地球の温暖地帯を寒冷の危機に導いた、忍び寄る寒気は何故起ったのだろうか。多くの地球物理学者は、急激な冷却は、非常にドラマチックな現象と結びついているに違いないと考えている。それは緊密に結合した磁極と地理的極に対して、地球とその地勢が移動するということである。地殻の中の一種の化石ともいうべき結晶の羅針盤は、北極が5億年前にはハワイの近くに、３億５０００万年前には日本付近にあり、その後北太平洋を横切っていろいろな地点に移り、ついに、現在北極として知られている海に落ち着いたことを示している。ちょうど同じころ、南極は、大西洋から今日の南極に移動し、その地域を、おい茂った植物と石炭層のある亜熱帯的大陸から、氷河でおおわれた荒廃の地へと変えた。

極移動がなぜ氷河をひきおこしたかというと、極の移動によって、黒っぽくて熱を吸収する陸の地域を、雪におおわれて熱を反射する地域に変えることにより、地球のエネルギーの取り入れ口を狭くしたからである。

激動する地球が、未来の洪水や氷河の期間に、人間に強制しようとしている大きな労働力も、地球の外部から来る挑戦にくらべればものの数ではない。最初の、そして最も小さな脅威は、月から訪れるだろう。月が地球の陸や海や空気に起こす潮汐は、地球の回転をしだいに遅くする。現在、自転の周期は、毎日1秒の10億分の25の割合で長くなっている。この値は非常に小さいように思われるが、このまま続けば、50億年後には、地球の一日は36時間になる。それは焼けつくように暑い18時間の昼と、酷寒の18時間の夜から成る一日である。

同じ頃に、今から50億年から60億年たつと、太陽は核融合反応によって、水素の15パーセントをヘリウムに変えている。その時、太陽の中心部にあるヘリウムの灰は、それ以前よりも温度の高い第2次核反応を起こして燃えあがり、太陽は血のように赤い巨星となってふくれあがる。その勢力の最盛期には太陽は、太陽系のいちばん内側の惑星である水星と太陽のあいだの空間を埋めつくし、地球の全空の12分の1をおおう大きさになる。そのエネルギー放射は、大地の温度をセ氏６００度に上昇させる。地球の割れめからは鉛が溶けて流れ出し、海は沸騰し、硫黄が地球の表面で煮えたぎる。

死のクライマックスが過ぎると、太陽は再び急速に縮み、大空の水は、第2の大洪水となって地上に帰る。老衰の途上で、太陽は不安定な状態となり、外側の層が爆発し、燃えさかる内部をむき出しにして、地球をX線やガンマ線の照射にさらす。そして太陽は最後のエネルギーを使いはたして、永遠の静けさに入るのである。その時、地球の水は凍りついて永遠の氷のおおいとなる。やがて太陽は自分自身の重みで収縮する。数千億年の後に太陽は、地球よりも小さな死の星となるのだが、その質量は減少することなく、想像を絶する巨大な密度を持って、地球を太陽のまわりの軌道にしばり続ける。このようにして、水の惑星と化した地球は、黒い死の星となった太陽のまわりをめぐりながら、暗黒の宇宙空間を進み続けるのである」

＊　　＊
＊　　＊

以上が地球と太陽の生涯の物語です。参考文献として「ライフ大自然シリーズ　14地球　16宇宙　著者アーサー・バイサー　タイムライフインターナショナル」を使用しました。

人類はしかし、地球最後の日まで生き長らえることはありません。一般的に、ひとつの動物種の平均寿命は100万年と考えられています。例外的にサメやシーラカンスのように数億年の寿命を持つ「種」

がいないわけではありませんが、人類が彼らと同じような長命な「種」である可能性はありません。

人類は文明の発達と共に、肉体的な進化をやめて、その代わりに社会的文化的な進化を遂げてきました。その進化が、近代に入って暴走をはじめたのです。それは滅亡に向かっての暴走であり、日々刻々として加速しています。今それを止めなければ、近い将来かならず、巨大なカタストロフィーが襲いかかって来るでしょう。世界中にまん延している数々の大ウソが、文明の暴走という病気の症状なのです。このことについては、後の章で詳しくお話しようと思います。

Ｃ　人間の時間尺度での地球寒冷化

この地球上では、文明が生まれるはるか以前から、セ氏プラス・マイナス４度くらいの変化は頻繁に起っていました。地球の気候は変化することこそが、その本質なのです。地球は10万年周期で、同じ気候変動のパターンを繰り返しています。酸素同位体に基づく温度変化のデータから見ると、現代の温暖な気候は約５００年周期のもので、過去では中世の温暖であった時代にほぼ対応しています。

地球の気温を下げる要因として、太陽の活動の低下があります。２０００年くらいから黒点数が減りはじめているのです。おそらく太陽の活動は２０３５年頃まで低下し続けると思われます。

地球の磁場が、最近の50年間に急速に減少しています。磁場が減少すると、地球に降り注ぐ宇宙線の量が増えます。２０３５年頃までには、宇宙線の照射量は15パーセント増加すると予測されています。宇宙線の照射量が増えると雲の量が増え、地球の気温を下げる要因となります。宇宙線が強くなると紫外線も強くなります。すでにオーストラリアなど極地に近い国では、日焼け止めクリームとサングラスが欠かせないと報じられています。

地球と太陽の距離が近い時には、地球の気温が上がります。遠い時には下がります。それは地球と太陽との距離は一定ではなく、木星と土星の引力によって変化するからです。

地球の軸には傾きがあるために、太陽エネルギーが多く届くのが、北半球である時期と南半球である時期が、ある周期で繰り返されます。地球全体の平均気温は、北半球が暖められる時期の方が高くなります。それは北半球には大陸が偏って広く存在し、南半球では海の占める割合が多いからです。

地球の気温を引き下げる要因として、火山の大規模な噴火があります。上空25キロから35キロメートルの成層圏にまで火山灰が届いた場合には、エアロゾルと呼ばれる小さな個体の粒子が成層圏に滞留します。これが地上への太陽エネルギーの量を減少させるのです。１９９１年に起ったフィリピンのピナツボ火山の噴火では、地球の平均気温は２年間にわたりセ氏０・５度から０・８度下がりました。もしも富士山が大噴火を起したら、日本の受けるダメージは筆舌に尽し難いものとなるでしょう。

昨年の春くらいから、新聞紙上に太陽の異変に関する記事が、時々掲載されるようになりました。この記事は地球寒冷化の到来をほのめかしています。２０１２年４月23日の日経新聞に掲載された記事を全文転記します。

＊　＊

「太陽の北極・磁場反転。国立天文台・理研など確認。温暖化・一時的な抑制も」

国立天文台や理化学研究所などは太陽の北極だけで磁場が反転しつつあることを確認した。11年周期で北極と同時に反転する南極は今のところ変化の兆しがない。過去に地球の気温が下がった時期の太陽活動によく似た状況になりそうで、地球温暖化の一時的な抑制につながる可能性がある。

太陽観測衛星「ひので」の望遠鏡で長期観察した。南北両極にはプラスとマイナスの磁場があり、通常は11年ごとにほぼ同時に反転する。次の反転は２０１３年５月と見られていたが、北極だけ前倒しで今年５月にマイナスからプラスに反転する見通しという。

南極がこれから反転する可能性はあるが、現在のままだと5月には両極ともプラスになる。太陽の赤道近くに2つのマイナスの磁場が別にできる「4重極構造」になる可能性がある。
国立天文台によると、17世紀から18世紀に地球に寒冷化をもたらした「マウンダー極小期」と呼ぶ時期にも、太陽が4重極構造だったという。

＊　＊

4月23日の報道を最後に、その後どうなったのかについては、数ヵ月後の現在まだなんの発表もない模様です。しかし地球はすでに寒冷化の時代に突入したものとして、政治がその対策を考えるべき段階に入りました。われわれが、実際に地球の寒冷化を体感するのはいつなのか、それはわかりません。今年の冬かもしれないし、来年か、あるいは数年後になるのかは、不明です。ただ言えることは非常に近い将来、地球はどんどん寒くなってゆくということです。そして、その時になってから対策を講じても手遅れです。なぜならば、地球の寒冷化は食糧生産を低下させ、それと平行して国際社会を険悪な方向へと引きずってゆくからです。

歴史の事実が示すとおり、気候が温暖な時代に文明が誕生し発展しました。そして寒冷化が始まると、人類社会は動乱の時代を迎えたのです。

4世紀頃に、地球は小規模な寒冷化の時代に入りました。この時代に、ゲルマン民族の大移動が起こっています。中央アジアでは、遊牧民族の大移動がありました。アーリア人もヒマラヤの西側の地域から南下して、インドを征服しました。民族の大移動は、例外なく南への移動です。中央アジアの場合には寒冷化が進んだために、植物が自生できなくなり草原が砂漠になりました。そして遊牧民族の南下が始まったのでした。事情はどこでも似たようなもので、大移動の原因は飢えであり食糧の確保のためでした。そして南下した地方の国々とは、例外なく戦争になっています。地球寒冷化が人類に強いるのは、飢えと戦争です。

この時代の日本には、大陸から多数の渡来人がやって来ました。彼らは当時の最新技術を身につけた人々でした。そのために聖徳太子は、これらの渡来人を京都の太秦などに住まわせて、優遇したのです。当時の世界人口は3億人、日本の人口は１０００万人以下でした。そのような時代に、京都だけでも1万人の帰化人が渡来したのです。その原因は、寒冷化のために大陸での生活が、非常にきびしいものになっていったからでした。

地球寒冷化は、世界的に農業生産量を低下させます。穀物が不作になるからです。日本の食糧自給率はハウス栽培の野菜なども加えてトータルしても、40パーセント以下しかありません。それにもかかわらず、われわれ日本人は史上空前の飽食の時代の中で、「食」についての謙虚さを失いました。「食」とは、他の生命を奪って自らの命をつなぐ行為であることが、完全に忘れ去られてしまいました。

「いただきます」というなに気ないマナーが、何者に対してなされる儀礼であるのかを憶えている日本人は、今やごくわずかでしょう。このような状況下において食糧不足が日本を襲った場合には、国民はどのような行動をするのでしょうか。政府は、いかなる対応を示すでしょうか。不安な暗い気持に駆られます。

寒冷化によって、世界的な不作が続けば穀物メジャーは、穀類を食糧としてではなく、戦略物資として扱うようになります。今以上の無法が、国際社会をかき乱すようになるはずです。現在でも、食糧不足と飢餓は後進地域、ことにアフリカでは常態化しています。地球が寒冷化すれば、それが世界規模に拡大するのは、時間の問題でしょう。なぜならば世界の人口は、国連人口基金の予想を上まわる速さで増加し続けているからです。

国連人口基金による２００５年版「世界人口白書」では、同年7月時点で64億６４７０万人に達したとする推計値を発表しました。２００６年度の白書では、２０１３年に70億人を突破するだろうとの予測を示しました。現実は、この予測を上まわる速さで増加しています。２０１２年8月28日に「アメリカ国税調査局・国連データ」の推計を、スマートフォンで検索しました。

２０１２年8月28日現在の世界人口

「70億５９６７万人」

１年間の人口増加　　７０００万人

1年間の出生数　1億３０００万人
1年間の死亡数　６０００万人
1日の出生数　20万人
1分間の出生数　１３７人

人口爆発と地球寒冷化そして政治の無為無策が重なった時、人類社会に何が起こるのでしょうか。背筋が寒くなる思いがします。

日米欧という先進民主主義国の政治は、腐りきっています。政治の劣化と政治家の無能ぶりも、あきれるばかりです。これらの国々では、科学の真理を踏みにじり、まっ赤なウソで真実を葬り去るという、愚民化洗脳政策が続けられてきました。その結果、今や世界は中世的様相を帯びるに到りました。無知と迷信の支配する世界、権力による強奪と搾取が公然としてまかり通る世界、無実の犠牲者を魔女として狩り立て焼き殺す世界、それが暗黒の中世でした。

搾取と強奪のまかり通る愚民世界の実現を望み、世界をその方向へ誘導している巨大な勢力が存在します。それが世界のスーパーパワー、世界権力の頂点に位置する国際金融資本家たちです。次章でこのことについて詳述します。

＊　＊

＊　＊

「3、ウソと洗脳の地球温暖化キャンペーン」

「4、忍び寄る地球寒冷化の脅威」

の科学的知見に基づく論拠は、次の二冊の著作に負っています。ご参照下さい。

『『地球温暖化』論に騙されるな！　著者　東京工業大学大学院教授　丸山茂徳　講談社」

「温暖化謀略論　著者　中部大学教授　武田邦彦　ビジネス社」

＊　＊

＊　＊

3、温暖化マフィアと百万のウソ

二酸化炭素の削減によって、莫大な利益を得る者たちがいます。彼らこそが地球温暖化デマゴギーを撒き散らした犯人と、その共犯者たちです。それはヨーロッパ諸国であり、石油メジャーとして君臨するロックフェラーであり、原子力発電によって莫大な利益を得るウラニュウム王・ロスチャイルドです。そして日本の政官財の中枢は、国民を裏切って二酸化炭素悪玉説に加担した共犯者です。私はこれらの人々を温暖化マフィアと呼びます。一見するとこれらの人々は、利害が対立するかあるいは無関係であるかのように思われますが、実はそうではありません。裏では密接につながり合っているのです。

「会議は踊る　京都議定書の怪」

京都議定書とは、1997年12月1日から10日にかけて、国立京都国際会館で開かれた「第3回気候変動枠組条約国会議（地球温暖化防止京都会議）」で締結された条約です。条約締結国は155ヵ国にのぼり、条約締結の取りまとめに際して指導的役割を果したのが、アメリカのゴア副大統領でした。日本では橋本総理大臣が中心となって、条約締結を推進しました。

京都議定書では、地球温暖化の要因と考えられる温室効果ガスを、二酸化炭素・メタン・一酸化二窒素・3種のフロンガス（ＨＦＣ・ＰＦＣ・ＳＦ６）の6種類と定め、そのうちの二酸化炭素が温暖化の要因としては最大としました。そして各国ごとに、温室効果ガスの削減目標を決めたのです。条約締結にあたって、主要な国々の削減目標とされる数値は次のとおりです。ヨーロッパが８パーセント削減、アメリカが７パーセント削減、日本が６パーセント削減と決まりました。ロシアは増減なしのゼロパーセントになりました。

京都議定書のような国際条約は、会議の場での調印の後にそれぞれの自国に帰って、議会の承認を得て「批准」されなければなりません。批准されない条約は無効です。そしてヨーロッパは２００２年５月に、日本は２００２年６月に、ロシアは２００４年１月に批准しました。しかしアメリカは上院の反対により、早々と２００１年に京都議定書からの離脱を表明したのです。実はアメリカは、事の初めから京都議定書に参加するつもりなど毛頭ありませんでした。アメリカにとっては（本当はすべての国々にとっても）地球温暖化防止のための国際会議など、茶番にすぎなかったのです。その証拠にゴア副大統領が京都へ行く前に、議会は全会一致で次の決議を行いました。「アメリカ経済に深刻な被害を与えるような条約、発展途上国による地球温暖化防止への本格的な参加と合意が含まれない条約は批准しない」つまり、発展途上国が二酸化炭素の削減に反対することは確実だったので、アメリカは最初から京都議定書で締結された条約を批准しないことを、内外に表明したうえで、ゴア副大統領を送り出したのでした。

それにしてもなぜアメリカは、こんなにまで手の込んだことをやったのでしょうか。実は二酸化炭素の削減に関しては、複数の目的を持った謀略が秘められているのです。日本に対しては、アメリカとヨーロッパがグルになって、日本の産業力を削ぐために仕掛けた国際的謀略、という側面があります。そしてこの条約を批准したことで、日本は欧米の仕掛けた罠にまんまとはまりました……確かに一見すればそのように見えます。しかし橋本総理も関係した官僚も、そこまでの愚か者であるはずがありません。彼らは知的で狡猾で、海千山千と表されるくらい、したたかな人たちです。そうでなければ政治家などやってはいられませんし、まして総理にまで登り詰めることはできません。そしてお人好しの善人には高級官僚は勤まらないでしょう。従って日本は万事承知のうえで、欧米の策略に自ら望んで乗ったと、判断しなければなりません。その理由は利権です。条約の批准は国民にとっては不都合千万な政策でしたが、経団連を構成する巨大企業と原子力ムラの政官財学にとっては、条約締結は彼らの利権拡大のための絶好の追い風になったからです。この原発利権については、後の章「金のためなら赤子も殺す強欲原子力行政」で詳述します。

さてアメリカは、自らが二酸化炭素を削減することに反対しました。それにもかかわらず、ゴア副大統領は「不都合な真実」という本を著して、二酸化炭素による地球温暖化の脅威を世界に広めました。科学的にはまったくのヨタ話にすぎない「地球温暖化脅威論」を広めた功績によって、彼はノーベル平和賞を受賞しました。すべては矛盾だらけで、ウソとごまかしの臭いが紛紛としています。

そこで、まず初めに日本を引っ掛けた罠について説明します。二酸化炭素の排出量を削減するということは、産業活動を縮小させ国民一般の生活のレベルを低下させることを意味します。

「アメリカ経済に深刻な被害を与えるような条約、発展途上国による地球温暖化防止への本格的な参加と合意が含まれない条約は批准しない」として、アメリカが京都議定書から離脱したのは、これが理由です。発展途上国が参加しなかったのも、同じ理由からです。これらの国々が石油や石炭の使用を制限されたならば、貧困からの脱出は永久に不可能になってしまいます。このような事情から、中国とインドは削減の義務を負いませんでした。カナダは批准しましたが、京都議定書における排出削減目標の、2012年までの期限内達成は困難であるとして、履行断念を表明しました。

問題はヨーロッパ諸国です。一見するとヨーロッパ全体として8パーセント削減となっていて、日本の6パーセントよりも重い負担になっています。ところが実際には、ヨーロッパは事実上二酸化炭素排出制限を完全にまぬがれていたのです。そこには実に姑息で卑劣なマジックが隠されていました。

京都議定書が締結されたのは、1997年です。しかし京都議定書における排出ガス削減率の「基準年」は、1990年に定められました。これは不自然な決め方です。本来ならば基準年は、1997年の議定書締結の年であるべきです。それでは1990年とは、ヨーロッパにとってどのような意味を持つ年だったのでしょうか。ここにマジックの答があります。この年の10月3日に東西両ドイツが統一されました。当時の東ドイツは共産圏の中では優秀な国家でしたが、西ドイツに比べると非効率きわまりないローテク産業で、経済運営をしていたのです。従って二酸化炭素はもとより、煤煙をはじめとしてあらゆる公害物質をたれ流していました。そのために統一されたドイツは、統一以前に比べて莫大な二酸化炭素を排出していたのです。その量は12・5億トンでした。そして西暦2000年時点での各国の排出量予測を行った結果、ドイツは10・1億トンと予想されました。これは京都国際会議での削減目標の8パーセントを、大幅に上まわる19％の削減になります。

イギリスも台所の事情は似たり寄ったりでした。1980年代のイギリスは、いわゆる「イギリス病」にかかっていて、旧態依然とした石炭火力発電を行うなど、ローテク産業が主流を占めていたのです。この時代に、鉄の女サッチャー政権が誕生し、一気に産業の近代化を実現しました。それでも1990年時点でのイギリス産業のエネルギー効率は、まだまだ低かったのです。イギリスにおける1990年時点の二酸化炭素の排出量は、7・4億トンでした。そして2000年時点での予測では、6・5億トンとされました。これは削減目標の8パーセントを上まわる13パーセントの削減です。これに対して日本とアメリカは削減どころか、二酸化炭素の排出量は増加してしまうのです。日本13パーセント、アメリカ15パーセントの増加です。その理由は、日本もアメリカも基準年である1990年には、すでに産業のハイテク化を完成してしまっていたからです。日本の場合には、オイルショック以来継続された産業構造の改革によって、産業界のアスリートに例えられるくらいに、減量すべき所などまったくない、ムダのない体質となっていました。これに対してヨーロッパの産業は、高脂血症やら高血糖やらでデブデブの、病気寸前の中年男のような状態でした。二酸化炭素削減というダイエットなど、簡単きわまることだったのです。このような事情からイギリスとドイツは、京都議定書の実現には、特別に熱心であったと伝えられています。

「地球温暖化防止会議」とは、日本に対しては産業活動の発展を妨害するために、後進諸国に対しては半植民地的貧困状態を固定化するために仕組まれた、帝国主義的インチキ条約でした。詐欺、インチキの類いであればこそ、これにワルノリしての二酸化炭素排出権取引という、マネーゲームが付いてまわることになりました。ヨーロッパの場合は「域内再分配」によって、二酸化炭素削減に苦労する国はまったくありませんでした。またロシアは事実上40パーセントの二酸化炭素排出の増加を認められる結果となり、排出権取引によって多大の利益を出したと思われます。以上に関してのデーターと詳細な報告は「環境問題はなぜウソがまかり通るのか2　武田邦彦　洋泉社」に述べられています。ご参照下さい。

日本の産業を衰退させるために、アメリカとヨーロッパが手を握って仕掛けてきた国際謀略が京都議定書だったのです。この頃からアメリカは、日本の富の収奪を目的として、構造改革をはじめとする様々の謀略や露骨な要求を突き付けたり、仕掛けてきたりするようになりました。ＴＰＰもそのひとつです。

そしてそれらの謀略に対して、国民を欺きながら日本の内側から彼らのためにドアを開いて、その謀略を招きいれようとする政治家と官僚が、あとを断ちません。

アメリカが日本の産業の衰退を願望するのは、かならずしも理解できないことではありません。アメリカの製造業が衰退した大きな原因のひとつは、日本とドイツの製造業が発展してアメリカと競争するようになり、この競争にアメリカが破れたということにありました。しかしアメリカの産業界の中にも、製造業衰退の大きな要因がありました。

アメリカの繁栄を創出した力のひとつに、フォードがあります。フォードは堅実なもの作りを通じて従業員の生活レベルを引きあげ、それによって購買力を喚起して経済を発展させました。しかしGMの時代に入ってからは短期の利益追求に向かうようになり、アメリカの製造業の衰退が始まったのです。日本の製造業が多少へこんだからといって、アメリカの産業界が活況を呈することはありません。アメリカは、軍事力だけは突出したスーパーパワーですが、このような浅ましいことを考え出すようでは、国全体としてはかなり落ちぶれつつあると判断するよりありません。

ヨーロッパが、日本の製造業の力を削ごうとして、そのための謀略を仕掛けてくるなどとは「およそ信じ難いことだ」と、そんな風に思うのが普通でしょう。それが日本の常識です。ましてヨーロッパ諸国の中には、われわれ日本人が尊敬し、憧れをさえ抱いている高福祉国家の北欧諸国が含まれています。

デンマーク、スウェーデン、フィンランド、オランダのような先進諸国が、日本に対しての謀略に加担するなどとは、およそ信じ難いことでしょう。しかしヨーロッパ文明とは、案外に卑しくて浅ましいのです。その文明の在り方をひと言で言えば「できるだけ楽をして金を作り、自分の稼ぎ以上の良い暮らしをしたい」というようなものです。第２次世界大戦以前の帝国主義時代のヨーロッパの繁栄は、植民地の富を強奪することによって築かれました。従ってヨーロッパ文明の精髄ともいうべき、音楽・美術・建築などの華麗な芸術は、植民地で流された血を肥やしとして、咲き誇った花々だったのです。

戦後もヨーロッパ文明の体質は、ほとんど変わりません。それが、製造業があまり発展できない理由です。長期の展望に立って設備投資をやり、その上で地道な努力を続けることが、ヨーロッパ文明の体質に合わないのです。第２次世界大戦後、ヨーロッパ諸国は金づるであった植民地を次々に失ってゆきました。そして現在、そのような事情にもかかわらず、彼らは一見したところ、かなり優雅な生活を送っているように見えます。ことに北欧諸国では、長期間のバカンス、家庭生活を大切にするための政策としての、長期間の育児休暇、手厚い社会保障など、まさに理想の国と社会を築いたように見えます。しかしその原資はどこから来るのでしょうか。彼らの製造業にそれだけの富を生み出す能力があるとは、思えません。その答は、最近のＥＵの混乱とユーロの暴落の中にありました。ヨーロッパ諸国は、キャリートレードで稼いでいたのです。なんの労力もなしに、右から左に金を動かすだけで利益を得ていたわけですが、そんなことがいつまでも続くはずがありません。ことによると、ヨーロッパはすでに回復不可能な、没落の過程に入ってしまったのかもしれません。そのようなヨーロッパであればこそ、日本の産業衰退の謀略に加担したのです。

「アッと驚く、石油神話のウソのウソ」

地球温暖化脅威論を全世界に流布し、それに加えてアメリカとヨーロッパを取りまとめて、日本の没落を仕掛けた司令塔は誰だったのでしょうか。それこそが、世界のスーパーパワーであるロスチャイルドとロックフェラーです。彼らが日本をターゲットにして衰退させようと仕組んだ理由は、当時の日本が世界の発展に貢献すべき、模範的な「非常に良い国」に進化しつつあったからです。日本は平和と民主主義と経済発展のモデルとして、世界の模範になるような産業を発達させつつありました。このような国家は、全世界の所有者であり管理者を自任する、ロスチャイルドとロックフェラーにとっては、見逃すことのできない邪魔者でした。彼らには「新世界秩序・ワンワールド」というテーゼがあり、このテーゼ実現のためには、平和と民主主義と経済的繁栄を体現しつつある国家は、ぶち壊さなければならない敵なのです。彼らとそのテーゼについては、後の章でお話します。

ロックフェラーとロスチャイルドに代表される国際金融資本家の作戦は、非常に複雑です。彼らは一石二鳥も三鳥もねらって作戦をたて、そのすべてを成功させてきました。地球温暖化脅威論に基づく排出ガスの制限は、石油メジャーであるロックフェラーにとっては、不利益になるように見えます。石油の消費量が減少するからです。ところが実際には二酸化炭素元凶説の最大の受益者は、石油メジャーであるロックフェラーを筆頭に、石油利権、天然ガス利権を持つ産油国と石油ガス供給業者なのです。これらの業界は、すでに極限まで寡占化が進んでいます。何をやってもシェアを奪われることがないのです。その場合には、企業にとって「利潤最大化」を計る簡単で確実な方法は、減産と価格支持を両建てで実行することなのです。

このことについては「増田悦佐著 日本と世界を揺り動かす物凄いこと マガジンハウス」の中で詳細な論述がなされています。ご参照下さい。以下その部分を抜粋転記します。

＊　＊　＊

世間では「企業は自社製の商品を少しでも多く造りたい、売りたいという本能のようなものにつき動かされている」と思いこんでいる。だから、二酸化炭素元凶説最大の受益者が、石油利権・天然ガス利権を持つ産油国、産ガス国、石油ガス供給業者であるにもかかわらず、まさかこの連中がそんな自国資源・自社製品を貶めるような議論を積極的にあおるはずがないと決めつけているのだ。

「企業には増産・増収本能がある」という説のまちがいから、ときほぐしていこう。企業が持ち合わせている本能は、利潤最大化、これだけだ。同額の利益を確保できるなら、生産量、販売量は少なければ少ないほどいい。それが企業行動の基本だ。

自社シェアが市場規模の何割かを占めるという寡占企業になると、増産すれば価格を引き下げることによって利益率を低下させてしまう。むしろ減産すれば利益率が上がるので減産のほうが望ましいと、寡占企業は思っている。そうできないのは、そんなことをすれば競合各社に自社のシェアを取られてしまうからだ。

だから、寡占化した業界では、有力企業同士が共謀してなんとか業界全体で減産・価格上昇を実現しようと画策する。そして１９３０年代のＧＭのように、事実上の独占状態を達成した企業は、大不況の中で平然と自社の操業率を７割も削減して大量の労働者を路頭に迷わせながら、自社の利益は確保するという血も涙もない所業におよぶ。

これが企業の本質なのだ。ついでに言えば、希少な天然資源の埋蔵シェアが大きな国々も、寡占企業と全く同じような行動を取る。だから、自社が属している業界、自国が潤沢に持っている資源について、減産、価格支持を堂々とやらせてくれるような「理論」は、だれがどこで、どんな理由で提唱しようと大歓迎だ。

「そんな、自分たちが悪玉にされてしまうような議論に肩入れしてまで、儲けを大きくしたいものだろうか」と健全な常識人である読者のみなさんは思うだろう。悪玉になって儲ける方が、正義の味方で儲からないよりいいというのが、企業の論理なのだ。

「最上の収益源は　罪の意識」

「貴重なものだから大事に節約すべきだ」というのと「害があるから使うべきではない」というのとでは、表面的にはほとんど１８０度の大転換に見える。しかし冷静に考えてみると、どちらも生産規模の縮小と価格の上昇を容認どころか奨励しているという点ではまったく同じ機能を果たしているのだ。

石油産業全体で二酸化炭素悪玉論に肩入れするようになるについては、確実に参考にしたはずの前例がある。

タバコの有害表示が義務付けられたのは、１９６６年のアメリカが最初だろう。その後世界各国に有害表示義務付けが広まり、今では有害表示のまったく付いていないタバコを売っている国を探すのがむずかしいほど普及している。その結果、タバコ産業は滅亡したか？　収益が悪化したか？　全然そんなことはない。全世界での販売量は多少減少したかもしれない。だが、タバコ製造会社の利益率は、まちがいなく上昇しているはずだ。

ちなみに、フォーチューン500の常連の中に、アルトリア・グループという会社がある。1995年には売上高10位で利益総額5位、2000年には売上高も利益総額も9位、2005年には売上高が17位まで落ちたが利益総額は9位、2010年には売上高が61位まで急落したが、それでも利益総額は15位と売上が不安定な割に、利益額ではいつも好位置につけている。

ご想像のとおり、フィリップ・モーリスなどの有名ブランドを糾合したアメリカ最大のタバコ会社だ。フォーチューン500データからこのアルトリアグループの売上高利益率を計算すると、以下のとおりの推移だった。1995年には8・8パーセント、2000年には12・4パーセント、2005年には14・6パーセント、2010年にはなんと25・7パーセントにまで上っている。これは特別利益で膨らませた利益率ではない。買うことに罪悪感を持ちながら買っている消費者は、そうとうな暴利をむさぼられても、唯々諾々としてついていくものらしい。

「健康に害があるから吸ってはいけない」とか「吸わないほうがいい」とかの議論は、タバコ税の増税には天下無敵の援軍だ。そして増税のたびに便乗値上げをしても、ほとんど不満は表面化しない。喫煙者は肩身の狭い思いをしながら、黙々と煙を吹いて重税と高価格を負担しつづけている。

二酸化炭素悪玉論が蔓延してからのアメリカ国民が、まさにこの罪悪感はあるけれどガソリンを買い続けなければ日常生活を維持できないという立場に置かれているのだ。アメリカだけではない。ヨーロッパ各国でも、ロンドンやパリのような巨大都市の都心部以外ではクルマなしの日常生活は不可能に近い。欧米の一般大衆は罪悪感を抱きながら、それでも高いガソリンを買いつづけなければ生活できないのだ。

「原油と暴落は腐れ縁の夫婦」

石油業界が、二酸化炭素悪玉説を大歓迎した理由はほかにもある。それは、石油業界につきまとう増産＝価格暴落体質だ。石油というのは大変やっかいな商品で、埋蔵量の大きな油田を掘り当てたりすると、追加的なコストはほとんどゼロで、いくらでも増産できることが多い。原油が自力でどんどん噴出する油井などの場合には、むしろ減産をすることに非常に大きなコストがかかる。

１９８８年に岩波新書で刊行された瀬木耿太郎著「石油を支配するもの」には、こう書いてある。「原油価格は誰かが管理していないと暴落するという性質をもっている」だからこそ、石油産業の歴史は有力企業・有力資源国による生産、価格両面にわたるカルテルの歴史だった。

石油業界で原油の推定埋蔵量のシェアというのは、頼りにならないものだ。突然有望な油田が発見されたりしたら、ころっと変わってしまう。だから、価格支配力を左右するのは埋蔵量ではなく、生産量のシェアなのだ。つまり、本来生産量をしぼって価格を維持するカルテルなしではやっていけない業界なのに、そのカルテルの柱になるべき団体が弱体で頼りにならない。この先どうやって儲けを確保すればいいのか……と思案投げ首だったところに登場した救いの神が、二酸化炭素悪玉論だったわけだ。

２０１０年ベースの実質価格で、アメリカのガロン当りの価格を追ってみよう。大不況の１９３０年代はカルテルによる減産がやりやすかったので、ずっと３ドル台を維持していた。そのあとは２ドル割れまでズルズル下げたが、第２次オイルショック直後の１９８０年に一挙に暴騰して、３ドル30セントまで上昇した。しかしＯＰＥＣの価格支配力が衰えるにしたがって、またしても延々と下げつづけ、１９９６年～１９９７年には１ドル30セントまで下がっていた。

ちょうどその頃から、地球温暖化の元凶は二酸化炭素だという説が、強力にプロモートされ始めた。資金はもっと前から潤沢に入っていたのだろうが、その頃からさまざまな環境保護団体の中でも、二酸化炭素悪玉説グループの羽振りの良さが目立ち始めた。大手石油会社の資金力、マスメディアの動員力が関与しているのはまちがいない。

こうしてオイルメジャーの業績は、完全に回復した。そしてガソリン価格は急騰し、ついに２０１１

年初夏には前人未到の４ドル台をつけてしまった。もちろん、この間の業界再編を生き延びた大手石油会社は、２０１０年までに収益完全復活を遂げ我世の春を謳歌している。

フォーチューン５００ベースで言うと、直近の２０１０年では、売り上げ20傑中に石油会社が2位、3位、５位、16位の４社が入り、利益総額では1位、５位、10位を占めていた。そして利益総額上位5社を上から並べていくと、1位がエクソンモービルの４０６億ドル、2位がＧＭの３８７億ドル、３位がスプリント・ネクステルの２９６億ドル、４位がＧＥの２２２億ドル、５位がシェブロンの１８７億ドルとなっていた。だがこのうちの2位のＧＭと3位のスプリント・ネクステルの利益には、前年度の破たん処理や巨額損失から生じた莫大な利益が入っている。つまり実力のランキングでは、１位エクソンモービル、2位ＧＥ、３位シェブロンと1位と3位を大手石油が占めていた。東西両綱とまではいかないが、東の正横綱と東の張り出し横綱を、世間的には化石燃料衰退論で落ち目のはずの石油産業部屋が出しているのだ。しかも、首位エクソンの利益総額は、実力2位のＧＥの2倍近い金額だった。

すべてが二酸化炭素悪玉説だけのおかげとは言わない。しかし、地球温暖化論争の盛り上がりは、決して石油会社にとって不利ではなかったことだけは、どなたにも納得していただけるだろう。

「二酸化炭素悪玉説・黒幕・謎解き」

二酸化炭素悪玉説の黒幕が産油国・産ガス国・大手石油会社連合だということが分かると、いろいろ今まで腑に落ちなかった謎が解けてくる。

たとえば、なぜ石炭だけを狙い撃ちにして最悪のエネルギー資源と言いつづけるのかといったことだ。石油・天然ガスと石炭では、同じ熱量を出すときに排出する二酸化炭素の量は、多少石炭のほうが多い程度だ。天然ガスがいちばん二酸化炭素の排出量が少なく、石油が中間・石炭がいちばん多いという順番になっている。程度の差であって、石炭だけが天然ガスや石油の何倍とか何十倍という二酸化炭素を出すわけではない。

ところが二酸化炭素悪玉論者は「石油や天然ガスはなるべく使わないほうがいいけれど、どうしてもやむをえない場合には使ってもいい。しかし、石炭は論外だ。あれだけは金輪際使ってはいけない」という言い方をする。まるで石炭には、石油や天然ガスには入っていない毒でも混入されているかのような騒ぎだ。

石油と天然ガスは、だいたい埋蔵量の多い地域も重複しているし、同系統の資本が支配している。だが石炭は石油が天下を取る前にエネルギー産業の王者だった資源で、埋蔵量の多い地域も違うし、資本も石油、天然ガスとは別系統だ。そして、多くの推計で石油の埋蔵量があと30年～40年分、天然ガスがあと40年～70年分とされているのに対して、石炭の推定埋蔵量はあと170年～300年分と圧倒的に多い。

せっかく石油や天然ガスの生産量を圧縮しても、需要が石炭に流れてしまったら元も子もない。だから二酸化炭素悪玉論者は、石油や天然ガスを使うのは仕方がないが、石炭だけはダメだと強調するのだ。そして、なぜ二酸化炭素悪玉論者は数ある再生可能エネルギーによる発電法の中でも、太陽光と風力というとびきり効率が低くてコストの高い方法ばかり誉めちぎるのかも、分かってくる。真剣な競争相手には育つはずのない技術なら、研究開発の助成金も普及のための補助金も安心して出せるからだ。

＊　＊　＊

＊　＊　＊

以上が世界経済の視点から喝破した、二酸化炭素脅威論の内幕です。増田悦佐氏の著作は、世界で起こりつつある不可解な事象を読み解くためのすぐれた道標だと、私は思っています。２０１２年5月に氏の最新刊「世界は深淵をのぞきこみ、日本は屹立する　東洋経済新報社」が刊行されました。欧米の実情を知るための絶好の著作です。併せてご参照下さい。

「エネルギー資源獲得の新時代開幕」

２０１２年10月４日に、新聞、テレビ等において秋田県で「シェールオイル採取」が行われたとの報道がありました。「シェールオイル」とは原油に他なりません。これは日本国内で原油の採掘が始まったというニュースです。日経新聞報道の一部を転載します。

＊　＊　＊

秋田でシェールオイル採取
採算性確保が課題

石油資源開発は３日、秋田県利本荘市の「鮎川油ガス田」で新型原油「シェールオイル」を採取した。米国では新型天然ガス「シェールガス」と並び生産が本格化しているが、日本国内の採取は初めて。同社によると、周辺を含め約５００万バレルの生産が見込める。秋田県全体で日本の原油消費量の約1ヵ月分に相当する1億バレルに達する可能性もあるという。シェールオイルは頁岩（けつがん）と呼ばれる固い岩盤層に含まれる原油。

今月から地下約１８００メートルの地点で水で薄めた塩酸などを注入し、割れ目に詰まった石灰岩などを溶かして回収した水などに原油が含まれていることを確認した。今回の実験で得た原油の量や成分などを分析したうえで、来年から水平に掘り進んだ井戸から割れ目に水圧をかけ原油を取り出す「水圧破砕法」による試験生産に入る予定だ。同社は採算などを調べたうえで商業生産を検討する。

仮に同社が秋田県全体で生産できても、世界の原油埋蔵量（１兆６５２６億バレル英ＢＰ調べ）からみて極めて少量。国内の他の場所でも原油を産出する鉱区で似た層があればシェールオイルが生産できる可能性はあるが採算性が課題になる。

＊　＊　＊

増田悦佐氏は「多くの推計で石油の理蔵量があと30年〜40年、天然ガスがあと40年〜70年分とされている……」と語っています。しかし私は、石油も天然ガスも地球由来の生成物であり、人類の消費程度では無尽蔵・無限に存在する物質であるとの科学的判断を支持しています。

「無尽蔵、無限に存在する石油資源」

石油とは少量の硫黄、酸素、窒素などを含んだ炭化水素です。この炭化水素である石油の起源には、有機起源説と無機起源説という対立する学説があり、旧ソ連邦・現在のロシアとその影響下にある国々では、無機起源説が、アメリカの影響下にある西側諸国では、有機起源説が一般的な認識となっています。有機起源説とは、太古の昔に動物や植物、藻類などの堆積したものが、長い年月を経て石油になったというものです。無機起源説とは石油は、地球のマントルから作り出される物質であるとするものです。石油が古代の有機物に由来するものである場合には、石油は有限の存在です。これに対して地球のマントルから生成され染み出してくる物質ならば、無尽蔵に存在することになります。

結論から言えば、石油生成の由来は非生命深層起源理論が正しいのです。その証明として１９８６年に、スウェーデン国家電力委員会が掘削チームを結成し、本来ならば炭化水素が出ないはずの地域であるダーナラ地方のシャルヤン環状地を、掘削したのです。炭化水素は、通常は地下３０００メートルから５０００メートルの辺りに存在するのですが、このチームは1年がかりで地下６０００メートルまで掘削し、ここで炭化水素すなわち石油を発見したのです。この石油の量は、わずかであったために商用には適しませんでしたが、この発見の意味するところは重大で「石油は地球深層ガスによって生成されている」ことの証明になったのです。

ロシアは石油の非生命深層起源理論に基づいて、超深度掘削技術を開発し、ロシア全土で３００ヵ所以上の巨大岩場を掘削し、ほとんどの場所で石油を発見しています。ベトナムのホワイト・タイガー・

フィールでの油田の発見や様々の場所での大規模なガス田の相次ぐ発見は、ここまでに述べた事情によるものです。

アメリカは、表向きは石油有機起源説を取っていますが、しかし事の真相を知らないはずがありません。２００３年頃に、ロシアで世界第４位の石油メジャーを創立したミハイル・ボリソヴィチ・ボドルコフスキーが逮捕されるという事件がありました。名目上は脱税と横領でしたが、真相はアメリカのエクソンモービルが、ロシアの超深度掘削技術を、ミハイル・ボリソヴィチ・ボドルコフスキーと計って盗もうとしたからでした。

２０１０年４月20日に起きたメキシコ湾での原油流出事故のことを、まだ覚えているでしょうか。あの大事故の真相は、オバマ大統領が国際石油資本ＢＰ（英）に、海上で「超深度掘削」をさせて、それが失敗した結果でした。ＢＰ社は、サウジアラビアのガワール油田のような、地球の地下で発生する炭化水素が、地殻に移動して岩石の中に蓄えられるための「流動経路」に穴を開けてしまったのです。

ちなみに、世界で最も豊富な産出を誇るガワール油田は、１９４８年に発見されて以来70年近くもの間、毎日何百万バレル産出しても尽きる心配がありません。埋蔵量は常に増え続けているのです。

それでは資源としての石油の埋蔵量は、本当のところ、どれくらいあるのでしょうか。

「石油、石油様物質の埋蔵量は５００万年分」

１９７０年には石油の「寿命」はあと40年といわれました。それから40年経過した２０１０年にも、石油の寿命は同じ40年とされています。石油と同様に銅もまた、１９７０年にはあと30年で枯渇するとされ、２０１０年には今後46年はあることになりました。実は「資源の寿命」を決めているのは資源会社なのです。たとえば鉱山会社の場合には、資源の探査には金がかかるので、１００年後の山は探しません。もしも１００年後の山を持っても、その購入費用や保持するための経費がかかります。そしてその山からの売り上げが１００年後のことだとすれば、そんな投資を認める株主なぞいるはずがありません。その上に資源の相場は値動きが激しいので、経営者は、常に相場に注意していなくてはなりません。もしもその資源が無限に存在するということになれば、相場は暴落してしまいます。これが資源の寿命が、常に30年～40年とされる理由です。石油の寿命も、同様の事情で決められてきました。

資源としての「石油または石油に似た物質の埋蔵量は」現在の石油の消費量をそのまま続けるとして「５００万年」分あります。その算出のための「理論計算」の方法は「物質不滅の法則」を用いて「マスバランス」を計算して求めます。つまり「地球ができたとき」と「現在」を比較して「石油を作っている炭素」の量を計算するという方法です。

今から37億年前に、地球上に生命が誕生しました。その当時の地球の大気は90パーセントがCO_2で、残りが窒素でした。CO_2と水、そして化学反応を起こすのに必要なエネルギーとしての太陽の光の存在が、数億年の時間をかけて、生命を生み出しました。生命とは、CO_2と水（H_2O）の分解反応を起す触媒です。そして、この触媒（生物）は、大気中のCO_2とどこにでもある水を原料に使い、太陽の光をエネルギーとして、CO_2をC（炭素）と、水（H_2O）をH（水素）とO（酸素）に分けました。そしてCとHで自分の体を作り、Oを大気中に放出しました。長い時間の中で、CO_2が分解されて放出された酸素と同じ量の炭素が、地球上のどこかにあると考えられます。この場合、鉄を酸化した酸素の量を推定することはできますが、これは無視してかまわないものとして計算します。そこで大気中の酸素量を算定し、それと同量の炭素が存在するものとします。これが地球上に存在する炭素資源の総量です。これを世界の石油の消費量で割ると「500万年」という数字になります。

＊　＊　＊

本章での石油無機起源説と超深度掘削技術に関係した論述は、次の著作を参考としました。ご参照下さい。

「日本のタブー　副島隆彦編著　⑯石油　桑原義明　ＫＫベストセラーズ」

＊

石油資源量を計算したのは、武田邦彦教授です。詳細は「生物多様性のウソ・武田邦彦・株式会社小学館」をご参照下さい。

＊　　＊　　＊

二酸化炭素排出を原因としての、地球温暖化の脅威という、まっ赤なウソに日本中が洗脳された結果、エネルギー政策は原子力発電を主力とする方向へ暴走し、福島原発事故を引き起すに到りました。それでもなお、政府も財界も国民の反対をはぐらかしながら、原発再開そして推進に余念がありません。しかし、もう一カ所原発事故が起これば日本は終わりです。

原発とは一体何なのでしょうか。なにが、権力とそれに連なる者たちに対して、これ程までに原発に執着させるのでしょうか。

次章でそのことについて論述します。

４、強欲原子力行政のウソ

「警告　再洗脳を警戒せよ」

野田政権がエネルギー・環境戦略で掲げた「２０３０年代に原発ゼロ」の政府方針は、わずか２ヵ月もたたないうちに、すっかり怪しくなってしまいました。このままでは、遠からず原発の全面的再稼動そして新規増設という方向へ、逆転してしまうでしょう。日本国内と国外輸出の原発利権に群がる悪人たちは、虎視たんたんとしてその時の到来を、ひそかに待ちうけています。

「原発ゼロ」方針に対しては、アメリカ政府が強硬に反対意見を表明してきました。表面上アメリカは、あからさまな批判を自制していますが、２０１２年９月８日のロシア・ウラジオストックでのＡＰＥＣ首脳会議において、クリントン国務長官が野田総理に対して、アメリカ大統領を代理する形で、原発ゼロ政策に対するアメリカの懸念を伝えました。２０１２年10月現在アメリカは、大統領選挙フィーバーの真っ最中です。この選挙終了後には、誰が大統領になろうともアメリカは、「原発ゼロ」を撤回させ日本中に原発を乱立させるべく、圧力を強めてくるのは確実です。

原発利権に食らい付いている政官財学の原発推進派と、アメリカの反対という内外からの圧力に抗して「原発ゼロ」を貫くことは、日本の政府にとっては不可能に近い困難な仕事です。政府にあくまでも「原発ゼロ」をやり遂げさせるためには、全国民の「反原発」の強固な意思表明以外にありません。その具体的な表明は、国政選挙だろうと地方選挙だろうと、原発に賛成する人物は一人残らず落選させてしまうことです。彼らを政界から追放してしまえば、日本の政治の闇の半分は吹き払われることでしょう。

「反原発」の強い意志を持ち続けるためには、「原発の正体」を正確に知っておく必要があります。原発の何たるかを知ってしまえば、いかなる脅しや洗脳に直面しようとも、決して心をかき乱されることはありません。なぜならば、誰も自ら望んで家を捨て故郷を捨て、原発難民という流浪の民になりたいとは思わないでしょうし、急性放射能障害に襲われて鼻からも口からも、耳や眼からさえも血を流しながら、全身が焼けただれつつ、もがき苦しみながら死にたいとは思わないでしょう。あるいは自覚のないままに、放射能に原因するガンに犯されて死にたいとも思わないでしょう。しかし原発を再稼動すれば、福島原発事故を遥かに上まわる日本壊滅の事故発生は不可避です。

日本のほとんどすべての原発は、活断層の真上に建設されています。そして原発を稼動させるためには、核のゴミの再処理をしなければなりません。そのためには早期に、六ヶ所再処理工場を本格稼動させなければなりません。ところが、ここもまた活断層の上に作られているのです。

六ヶ所村再処理工場近傍の直下には「大陸棚外縁断層」の分岐した一方が、核燃料サイクル基地が立つ台地のふもとにある尾駮沼の北で、陸に向かって伸びています。従って、このような条件の地勢で発生する地震は、巨大なものとなります。しかし日本原燃をはじめとして、電力各社も政府関係機関も、活断層の存在を認めません。六ヶ所村再処理工場に限らず、すべての原子力施設は「初めに建設ありき」で強引に作られてきました。そして安心安全神話をでっちあげて、国民をたぶらかしていたのです。彼らは原発の直下にある活断層に対しては、単なる断層にすぎないと強弁し、活断層として認めざるを得ない場合には、その長さや規模を2分の1、あるいは3分の1に見立てて「地震の心配はない」と言い立ててきました。活断層が小さなものであれば、地震も小規模になるからです。このようなデタラメな姿勢から作り出されたすべての原発は、科学者の良心に照して、ずさんで欠陥だらけの、危険きわまりない代物なのです。それら核施設の中でも、最も危険な存在が再処理工場です。

六ヶ所村の核燃料再処理工場では、原発の使用済核燃料が3000トン貯蔵され、年間800トンの再処理が行われます。ここに貯蔵される使用済核燃料の放射能は、長寿命の「超ウラン元素」と呼ばれる一群の核種です。その多くはα線を出し、生物毒性の高いのが特徴です。この六ヶ所村をマグニチュード9クラスの地震が襲った場合には、日本壊滅は必至です。しかし日本原燃は、再処理工場には何の問題もないとする「シナリオ」を描き、今日までそれを流布してきました。

この日本原燃の「シナリオ」を否定し、反駁する目的をもって、京都大学原子炉実験所助教・小出裕章氏とルポライター・明石昇二郎氏が「シミュレーション六ヶ所炎上」を作りました。次にこのストーリーを、抜粋転記します。

＊　＊　＊

「六ヶ所炎上」は「最悪の核施設・六ヶ所再処理工場　小出裕章　渡辺満　明石昇一郎　集英社」に収録されています。

この「4、強欲原子力行政のウソ」での論拠は、右の著作の他に「原発はいらない　小出裕章　幻冬舎」「騙されたあなたにも責任がある・脱原発の真実　小出裕章　幻冬舎」「この国は原発事故から何を学んだのか　幻冬舎」に基づいています。ご参照下さい。

＊　＊　＊

「シミュレーション　六ヶ所炎上」

２０１X年6月11日午後5時マグニチュード9の「東北巨大地震」発生。

青森県各所で観測された震度「7」

六ヶ所村付近の最大地震動「８３０ガル」これは阪神・淡路大震災と同規模である。

六ヶ所村の核燃基地の耐震能力は４５０ガルまでである。

各所で火災が発生。

津波が襲来。八戸市沿岸で８メートル。三沢市で10メートル以上となる。核燃基地に津波が到達。

使用済み核燃料再処理工場直下の活断層が、地震によって大きくズレる。このため同工場の建屋は、動いた断層に沿って断裂破壊される。

地震により高圧送電線の鉄塔が倒壊する。このため核燃基地全体が、全交流電源喪失（ステーション・ブラックアウト）となる。

同日午後７時（地震発生２時間後）使用済核燃料プールの冷却機能完全停止。

使用済核燃料プールが破壊され、冷却用の水が流出して核燃料がムキ出しになる。

使用済核燃料のメルトダウンが始まる。

再処理工場内で火災発生。

核燃料の一部が１０００度を超える温度に上昇。そのため建屋のコンクリート壁崩壊。

同日午後７時５分、総理官邸に事故の第一報が伝えられる。

東北大震災対策本部は首相を本部長として、すでに設置済。原子力災害対策特別措置法による原子力災害特別本部は「東北大震災対策本部」が兼務することとなる。

現地六ヶ所では、特措法に基づき緊急事態応急対策拠点（オフサイトセンター）に、現地対策本部が設置され、国と県の担当者が集結し、住民避難の対策が執られることになっていた。しかし、オフサイトセンターは津波により水没してしまい、すでに存在していなかった。

環境への放射能大量流出が始まり、同所周辺は「毎時４００ミリシーベルト」通常時の１６００万倍の放射線が検出される。

避難誘導の一切ないままに、周辺住民の自発的避難、村からの脱出が始まる。

火災により燃え盛る再処理工場では、水素爆発および水蒸気爆発を防ぐために「ベント」オペレーションが検討される。

ベントオペレーションとは、人為的な環境への放射能放出のことである。

午後8時、首相の決断を経てベントオペレーション実行。

放出された放射能は、火災による高熱のため、同所上空で凝縮し〝放射能雲〟を形成。

この雲は、夜の闇に異様な光を放ちつつ、超高レベルの放射線を降り注ぎながら、風に乗って移動を開始。

この放射能レベルは、雲の下の人間に対して急性放射能障害を発症させるべき値である。

〝雲〟は強烈な放射線を放ちつつ、時速14キロの速度で南下し米軍三沢基地方面へ向かう。

午後8時43分、六ヶ所村平沼地区のモニタリングポストでご〝放射能雲〟の襲来を告げる毎時1ミリシーベルト（通常時の4万倍の値）が検出。

午後8時45分、三沢基地配備の米軍および自衛隊の全航空機に対し、航空自衛隊千歳基地への避難命令が下る。

三沢基地在住の軍人と家族1万人は、日頃からの訓練の手順どおりに、基地内の核シェルターに避難。

午後10時18分、三沢市役所上空を〝放射能雲〟通過。

再処理工場の風下となった地域住民は、吐き気、めまい、息苦しさを訴えて病院に殺到。医師らはすでに避難して不在。

再処理工場の半径60キロの地域では、震災の被災者への救援活動が、機能不全となる。

青森市民を含む約50万人が、事実上見捨てられ、人々は自力での脱出を余儀なくされる。

再処理工場でのベント開始の41時間後、6月13日午後1時、放射能雲が東京に到達の可能性が明らかになる。

六ヶ所村方面からの避難民には、放射能被曝による急性症状が顕著となる。鼻血を出したり吐いたりして、ぐったりしている子供などの姿があちこちに見られる。再処理工場建屋の壁に大きく穴が開く。

放射能雲の第2波第3波の襲来が予想される。米軍、三沢からの全面撤退を決定。

放射能汚染、北海道千歳に到達。米F16部隊は千歳基地から、グアムへ移動。

燃料プールが剥き出しになったままの再処理工場からは、殺人レベルの放射線が発せられ続ける。従って事故処理は不可能となる。

自衛隊もまた現場には近づけない。なぜならば自衛隊には核戦争を想定した装備がないからである。

事故現場からは〝放射能雲〟の発生続く。

殺人レベルの放射線を放ちながら〝雲〟は、「ヤマセ」に乗って襲来し、東北地方の高速道路は避難する人々の自動車で埋め尽くされ、数百キロにわたって麻痺状態となる。

6月13日午前0時「放射能雲、東京に接近中」の第一報が民放のスクープとしてTV放送される。屋内避難、雨に濡れないこと、などが勧告放送される。

〝放射能雲〟の足取りは次のとおり。

6月12日午前2時14分、岩手県二戸市、第1波到着

6月12日午後9時20分、福島県福島市到着

6月13日午前7時9分、茨城県東海村到着

6月13日午後1時25分、東京都葛飾区および足立区に到着、第2波の到着は時間の問題となる。区役所は防災無線により「屋内退避勧告」を発令。

6月13日午後1時52分、経済産業省の真上を通過。

〝放射能雲〟の襲来で、最大の被害を受けるのは、人口密集地である都市部となる。第1波の襲来だけで予想されるガン死亡者数。青森県1万6611人(青森市1万4516人)東京都1万5142人。第2波第3波と襲われ続ければ、この数字は上昇する。

事故発生3日後、再処理工場からは放射能が漏れ続ける。

放射能汚染は太平洋を越え、北半球全域に広がる。

事故処理には、自衛隊は出動できなかった。自衛隊は核災害に対しては、まったくの無防備だった。

放射能封じ込めの作業には、とりあえず5000人以上の決死隊が募られて、作業に当たることになった。

この決死隊の運命は、チェルノブイリ原発事故に駆り出された人々と同様のものとなると予想される。

チェルノブイリでは、穴の開いた原子炉の上空にヘリコプターを飛ばし、鉛、砂、ホウ素などを大量に

投下した。投下により炉心物質が熱風とともに舞い上がってヘリを直撃し、ヘリの乗員は毎時15シーベルトの被曝を受ける。全員、放射能被曝の急性症状を発症、入院となる。チェルノブイリでの決死隊員の総数は、最終的に50万〜60万人となり、そのうち5万5０００人以上がすでに死亡している。

——了——

＊　＊　＊

シミュレーション原本は、長さ36ページの散文でノンフィクション風に表現されています。そして一般の科学者が検証できるよう「ソースターム」を明らかにしておく。それぞれの核種が地表に沈着して引き起こす被曝線量と一様濃度の放射性雲に取り囲まれたときの、地表での被曝線量については、新たにプログラムを作成して計算し直した」と書かれていて「六ヶ所再処理工場に存在する放射性核種と線量換算係数」「核種のガンマ線、ベータ線エネルギーと地表および雲から受ける被曝線量」の一覧表が記載されています。この他に日本国内の「ガン死者が出る地域」のグラフ、「Cs—１３７による汚染が及ぶ距離」一表、「青森県内でのガンによる予想死亡者数」が記載されています。ご参照下さい。

＊　＊　＊

「原発の正体」

私は原発を次のように定義します。

1、原発とは、その建設稼働を許した国と人々を滅ぼすための「自爆装置」である。

……日本列島全体が地震活動期に入った現在、この自爆スイッチのタイマーは、すでにセットされました。戦争で、あるいはテロで、原発が攻撃を受ければ、原爆投下と同様の被害があります。

2、原発とは、死の灰という究極の「猛毒製造装置」である。

……この猛毒は、子供と赤子と胎児を病気にしたり、奇形にしたり、殺したりすることに絶大な効果があります。

3、原発とは、史上空前の金食い虫であり「国家破産のための寄生体」である。

………（原発による発電単価は安い）と（原発によってコストが非常に安く抑えられる）は、まっ赤なウソです。電力会社の経営データと有価証券報告書によれば、原子力の発電コストが一番高いのです。従って原発をやめれば電気料金は安くなります。そして政府統計局のデータによれば、原子力発電所を全廃しても電気は足りています。つまり電力会社の実施した計画停電は、まっ赤なウソで固めた詐欺、脅迫です。国民を恫喝して原発必要論に誘導するためにやった犯罪です。もう一度、福島クラスの原発事故が起これば、日本は国家の倒産となります。

「軍国妄想・強欲利権・原発玉砕」

経済的メリットはゼロ以下なのに、電力会社が原発に固執する理由は何でしょうか。国中に死の灰を降り積らせて、人々の生命と健康を危険にさらし、その上いつ何時、第二第三の福島原発事故が起こるかわからない、地震国日本の活断層の上にまで、なぜ原発を建て続けてきたのでしょうか。電力会社も政府も役人も財界も御用学者も、なぜここまで原発に執着するのでしょうか。その理由は二つあります。ひとつは莫大な利権に対する強欲と、もうひとつは時代錯誤の妄想です。

電力会社は電気事業法という悪法によって、自分勝手に電気料金を決めることができます。原発という法外に高額な発電所を作れば作るほど、電力会社は利潤を膨れあがらせることができるのです。その上に原発は、莫大な資金投入を受けています。そこに使われているものは国民の血税です。しかし政府からの投入資金は、コストとして計上されていないので、その使い道は闇の中です。

１９７０年から２０１２年現在まで、原発のコストは、火力発電よりも一般水力発電よりも高額です。経営努力のいっさいいらない、ぼろ儲けのやり放題という利権を、税金ドロボーたちが手にした以上彼らは、死んでもそれを手離すまいとしています。

原発で不当に莫大な利益をあげているのが、大手のゼネコンです。原子炉建屋は大手ゼネコン5社（鹿島・大林・大成・竹中・清水）が独占し、これまでに建設した57基の総建設費の実績は、約13兆円です。

彼らは、原発を一基受注すれば、それが廃炉になるまでの期間50年以上も仕事が続きます。その上に原発工事の粗利益率は、20～30パーセントと一般の公共工事よりも高いのです。この建設費は、電力会社のコストとして計算され、総括原価方式によって電気料金に乗せられています。

こんなにまで〝おいしい仕事〟をもらった見返りとして、ゼネコン各社は原発建設地の買収、地元への根回し、政界対策などのウラの仕事をしてきました。ここに在るものは、まさに納税者国民を食い物にする、究極の金権腐敗の構図です。

税金ドロボーたちが原発に執着するもうひとつの理由は、次のとおりです。

原発は国策事業です。国策である以上は、人間がいくら死のうと、湯水のごとく金が流れ出ようと、日本中が放射能まみれになろうとも、すべておかまいなし、すべて免罪となります。それが国策というものです。そして始めた以上は目的を達成するまでは、何が何でも突き進むだけです。先の大戦時と同じように、例え一億玉砕となろうとも、とことんまでやってしまえ、という次第です。

………日本の国策としての原発の目的とは

「日本の核武装」です。

２０１２年６月20日、原子力規制委員会設置法と原子力基本法の一部改正が行われました。これらの法案は、事前に国民に知らされることは、まったくありませんでした。そしてマスコミは、このことについて一切報道しませんでした。

今回の法改悪によって「平和利用」に限定されていた日本の原子力が、軍事的に使用可能となったのです。その改悪された法律に付け加えられた「呪文」とは、「我が国の安全保障に資する」という文言です。

この一文は、日本の核武装に対しての法的根拠を与えただけでなく、原発に関する不都合な真実のすべてを、免責し不問に付すことが可能になりました。つまり、原発と再処理工場は永遠の存続を保証され、コストの問題も環境汚染も、福島原発事故の犠牲者に対する保障も、すべてチャラにすることができます。それが「安全保障」という、事実上の大義名分の効力です。すべては権力の悪巧みですが、これを撤回させるパワーは国民全員の意志以外にありません。

次にこの法律中の改悪された部分と、それに関連する全文を掲載します。

原子力規制委員会設置法案

（目的）

第一条　この法律は、平成二十三年三月十一日に発生した東北地方太平洋沖地震に伴う原子力発電所の事故を契機に明らかとなった原子力の研究、開発及び利用（以下「原子力利用」という。）に関する政策に係る縦割り行政の弊害を除去し、並びに一の行政組織が原子力利用の推進及び規制の両方の機能を担うことにより生ずる問題を解消するため、原子力利用における事故の発生を常に想定し、その防止に最善かつ最大の努力をしなければならないという認識に立って、確立された国際的な基準を踏まえて原子力利用における安全の確保を図るため必要な施策を策定し、又は実施する事務（原子力に係る製錬、加工、貯蔵、再処理及び廃棄の事業並びに原子炉に関する規制に関することを含む。）を一元的につかさどるとともに、その委員長及び委員が専門的知見に基づき中立公正な立場で独立して職権を行使する原子力規制委員会を設置し、もって国民の生命、健康及び財産の保護、環境の保全並びに我が国の安全保障に資することを目的とする。

（原子力基本法の一部改正）

第十二条　原子力基本法（昭和三十年法律第百八十六号）の一部を次のように改正する。

（中略）

第二条中「原子力の研究、開発及び利用」を「原子力利用」に改め、同条に次の一項を加える。

２　前項の安全の確保については、確立された国際的な基準を踏まえ、国民の生命、健康及び財産の保護、環境の保全並びに我が国の安全保障に資することを目的として、行うものとする。

対米戦争終結後70年近く経った現在、原子力と世界平和に対する日本の姿勢は、すっかり退廃してしまいました。原発を巡る今日までの経緯について記します。

１９５０年４月日本学術会議総会において、参加した科学者たちは、戦争を目的とする科学の研究は絶対に行わない、という決意表明を採択しました。それは、広島、長崎に対して投下された原爆の惨状と、戦争に対する反省から為されたものでした。そして「原子力の研究とは、発電のために為されるものであったとしても、一夜にして原爆に化するものであり、政府にこれをやらすということは最も危険である」として、原子力の研究を学術学会として封印したのでした。

１９５４年３月、突如として２億３５００万円の原子力予算が国会に提出され、ほとんどどさくさ紛れの内に成立してしまったのです。この仕掛人は、超タカ派として知られる後の内閣総理大臣中曽根康弘でした。そして１９６６年に日本原電の東海発電所一号機の運転が開始されました。しかしそれは、日本独自の技術で作ったものではなく、英国からコールダーホール型原子炉を輸入しての発電だったのです。その後１９７０年に日本原電の敦賀原子力発電所1号機と、関西電力美浜原子力発電所1号機が運転を開始するのですが、それらも日本の技術で作ったものではなく、アメリカからの輸入品でした。その後も原子力技術のほとんどは、アメリカとフランスからの輸入です。従って日本には現在でも、原子力に関する核心技術はないに等しい状態です。福島原発事故における事故処理の拙劣さ、対応のまずさは、この辺りに原因があったのかもしれません。

日本の原発は、軍国日本の復活を夢見た戦争の亡霊によって始められました。それから60年近くも経った現在、戦争の犬たちの悲願であった核武装への道が、開かれました。

軍国日本を美化し礼賛して、その復活を望む時代錯誤の権力亡者は、与野党を問わず政界には驚くほど大勢います。彼らは国民を出し抜いて、原子力の軍事利用への道を開いたことに、ほくそ笑んでいることでしょう。しかし実際問題としては、アメリカも国際社会も日本の核武装を許すとは思えません。もしも時代錯誤の政治家たちが、本気で日本の核武装が可能だと考えているとしたら、原子力基本法の改悪を唆（そそのか）したのは、奇妙に聞こえるかもしれませんが、アメリカ自身ということになります。日本国民にとって重大な法案が、国民の知らない間に成立しているケースでは、ほとんどの場合、背後にアメリカの存在があるのです。

福島原発事故以来、大多数の日本の人々は「原発はいらない。一日も早く廃止しよう」と考えるようになりました。この日本国民の願いをぶち壊そうとして、その前に立ちはだかる巨大権力が存在します。それがアメリカです。

アメリカの本音は、どこにあるのでしょうか。彼らは世界を、どのように支配しようとしているのでしょうか。巨大なウソに隠されたアメリカの真実を、見極めなくてはなりません。

権力支配

権力構造　日本の比較

先に私は「アメリカの民主主義は、盗み取られてすでに久しい」と書き記しました。いまやアメリカは新型の奴隷制社会を作る途上にあり、アメリカの社会は事実上カースト制の統治下にあります。すなわちアメリカでは、社会階級がすでに固定化されていて、上位の階級に昇ることができなくなっているからです。カーストは、次の４つの主要階級によって構成されています。

〈支配者階級〉

「支配者たち」または「地球の王たち」として知られるこの階級は、今や全人類の運命を握りつつあります。彼らは国際エリート銀行家、多国籍企業の経営者、富裕なアメリカ人一族から成り、排他的で参入不可能なグループを形成しています。この排他性の根本にあるものは「選ばれた人類としての血統妄想」です。この支配者階級の座には、アメリカの全人口の1パーセントに満たない約数百人くらいの人々が就いています。

彼らは一般市民を、家畜にも劣る卑しむべき者たちとして足下に見下しつつ、ビルダーバーグ、三極委員会、外交問題評議会、ローマクラブ、マルタ騎士団などに所属して、秘密主義を貫いています。支配者階級は、戦争への資金提供、高利貸し、一般大衆のランク分けなどの悪行を、もっぱらにやっています。そして彼らは、税金を一切払ったことがありません。無税の財団に収入のすべてを委譲するという手口で、支配者たちは納税の義務を回避しているのです。

日本にはこれほどまでに極端な、権力と財力を握った人々はいませんが、それでも戦前からの資産を温存し続けている特権的人々は存在します。資産温存には、国税当局の協力が不可欠なはずですが、その実態は不明です。

〈執行者階級〉

これは「支配者階級」が、自らの利益を守るために作り出した、権力執行者ネットワークのことです。次の7種類の業種があります。

① メディア

すべての主要メディアは各々多国籍企業に所有され、その多国籍企業は国際銀行家に所有されています。従ってすべてのメディアは、支配者階級の下僕として働くために存在しています。彼らの任務は、体制維持と補強です。そのために偽情報、誤報、真相の断片などを流して情報を撹乱し、世界の真実を隠すことが彼らの本当の仕事です。その上で大衆が体制に反抗しないように、条件付けされるべき「空気」を伝えることです。

日本でも事情は、ほぼ同じです。そして構造改革という名目で、日本のアメリカ化が露骨に強要されるようになって以来、メディアの堕落は止まるところを知りません。

② 警　察

体制に対する反抗者が出現すると同時に、警察は支配階級の武器として機能します。

これは例外なく、世界中同じです。

③ 軍　部

「支配者」は特定の国家に対しての忠誠心を持ちません。アメリカの「支配者」には、アメリカに対する愛国心がまったくありません。彼らはグローバリストであり、国家に対する巨大な寄生体です。

彼らにとって戦争は、莫大な利潤を生み出す事業であり「軍」は、そのために必要な戦争マシンです。

戦争によって「支配者」は、貸付利子と復興事業で金を儲け、同時にビルダーバーグのアジェンダである人口削減を行います。プロパガンダと愛国主義と貧困から、兵士として戦争に参加する人間には「支配者の意図や目的」を理解するために必要な、思考をめぐらすための、生活の余裕がまったくありません。

日本の現状がアメリカほどには悪化していない理由は、憲法第9条が歯止めとなっているからです。

④　学会と教育制度

彼らの使命は「大衆を現実に対して目覚めさせないこと」であり、社会に対して「無批判に従う思考形式」を吹き込むことです。従って学界は日米共に文化的通念を供給することによって、真実を抑えつけるのが仕事です。そして日本の大学からは、今や言論の自由がなくなってしまいました。この現実を知らずに大学に入学して、無防備に軽い気持ちで政治的発言や集会を開いたりすると、たちまち警察が介入して、ブタ箱にぶち込まれ、犯罪者として起訴されてしまうのです。しかし、言論の自由が絡んだ大学内での事件については、新聞もテレビも週刊誌さえも、まったく一切の報道をしないのです。日本の闇は、止めどなく深まるばかりです。

この件についての実例として、法政大学において発生した「法大生不当弾圧事件」をレポートします。

＊　＊　＊

２００６年３月14日に、法政大学当局の出したビラ撒き規制に反対して、29名の学生が抗議のデモを行いました。これは平和的なデモであったにもかかわらず、29人全員が逮捕されてしまったのです。大学当局は逮捕を理由に、学生に対して退学及び停学処分を下しました。

この処分を不当として、処分撤回の闘争が開始されました。以来7年近くの間に、延べ119名の逮捕者と33名の起訴、退学、停学処分者を出しながら、学生対当局の闘争は今もなお続いています。

裁判の長期化と大量の逮捕者が発生する原因は、大学当局にあります。彼らは学生たちの正当な抗議集会に対して言いがかりをつけ、警察、検察と計らって、学生たちを逮捕勾留しているのです。大学側のホンネは、学生の自主性や自発的な意見の表明を、すべて圧殺したいということです。この事件は大学側の不正義と横暴が、その特徴です。そのため地裁では学生側が次々に勝訴していますが、これであきらめるような当局ではありません。控訴に次ぐ控訴で、これに応じています。大学側の態度は、とうてい良識ある教育機関のものとは言えません。その意味では、この事件のすべてが異様です。そのひとつに、裁判の過程で浮び上がってきた検察の、救いようのない腐敗という事実が指摘されています。証拠ねつ造や、でっちあげは日常茶飯事のありふれたことになってしまいました。そして学生たちに対する獄中での扱いは、戦前の特高警察による拷問のレベルまで、ほんのあと一歩と言うべきものになっていたのです。例えば女子学生に対して、小用に行くことを禁じて、彼女が必死でがまんしながら苦しんでいる様子を、ニヤニヤしながら眺めていたという証言があります。

ちょうどこの時期に、大阪地検特捜部主任検事前田恒彦が、証拠ねつ造で逮捕されるという事件がありました。検察の腐敗は、大阪だけのことではなかったのです。地裁の判決は概ね学生たちの勝訴となっていますが、２０１０年６月24日に６名の学生に対して下された判決は異常です。懲役１年６ヵ月の実刑が科せられたのです。被告弁護側はただちに控訴していますが、この判決は司法そのものが何者かの意図によって歪められ、不正義の方向へと誘導されているという強い印象が残されました。そのような状況の中で、戦前の遺物である「暴処法」を適用しての裁判が行われました。この法律が21世紀の今もなお生き残っていて、実際に運用されることがあろうとは、ほとんど誰も思いもよらなかったのでは、ないでしょうか。

「暴処法」とは、大正14年に「治安維持法」が公布され、この治安維持法を強化補充するために昭和元年に作られた法律です。これらの法律に基づいて、軍部は平和主義者たちを片端から逮捕投獄をしてその口を封じ、最後には日本全土を焼け野原とした悲惨な結果を作り出して、大東亜戦争が終わりました。

「暴処法」を適用しての裁判は、５名の学生に対して行われ、２０１０年９月16日に第17回公判が開かれています。戦前の亡霊を墓場から呼び覚ましてまで、学生たちを罪人に仕立てあげなければならない理由は、学生たちがイラク戦争に反対したからです。そしてアメリカのポチに成り下がってまで、学校経営上の甘い汁を吸おうとした当局と、司法官僚にすぎない検察と裁判官が、官僚組織の本当の主人であるアメリカに対して、媚びへつらったためなのです。

アメリカは日本に対する属国支配の手段として、日本の大学を非常に重視しています。大学を知的エリート層の、洗脳機関として使うためです。後に詳しく述べますが、ジャパンハンドラーズと呼ばれるアメリカ政府の関係者が訪れるような、アメリカのお覚え目出たい大学では、「9・11同時多発テロ事件」は絶対のタブーになっています。そしてこれらの大学の研究室では、例えひと言でもアメリカ政府のテロへの関与を、ほのめかすような発言をすれば一生涯、教授の椅子が回ってくることはありません。

ウソで固めたアメリカと、その下僕である日本政府の政治的支配にとって、なによりも恐ろしいのは、大学生たちの政治意識の高まりとその伝播です。真実に目覚めた若い力の結集です。政府は闇に隠れて実にうまく立ち回りました。新聞テレビはもちろんのこと、週刊誌までも抑え込んで、一切の報道を封じてしまいました。

＊　＊　＊

この学生弾圧事件を受けて「法大弾圧救援会」が結成されています。

法大弾圧救援会・〒105-0004　港区新橋2-8-16　石田ビル4階　救援連絡センター気付
TEL・FAX　050-3036-6464（呼）
E-mail houdaikyuenkai@yahoo.co.jp
ホームページ「法大弾圧救援会」で検索

＊　＊　＊

⑤　裁判制度

拘束すべき人間が、社会に多数存在することは事実です。しかし刑罰による脅威は、同時に法を遵守する市民が、支配者たちの隠蔽行為に対して「声高に非難し主張する」ことを防ぐ役割も果たします。これはアメリカにおいて最近、きわだって目につくようになった傾向です。

日本の司法の実態は「法大裁判」に見られるとおりです。司法は日米共に「支配者」の手先です。このように腐敗のいちじるしい日本の司法が「国民の参加による司法の民主化」などを、本気で考えるはずがありません。「裁判員制度」の本当のねらいは「国家権力の強化」にあります。「赤紙」一枚で国民をどこにでも呼び出して、無条件で使役すること、それを当然の義務として受け入れるように、国民を洗脳することです。その究極の到達点は、徴兵制度の復活です。

⑥　官僚機構

アメリカ国民を抑圧し、マネーを絞りあげて奴隷に等しい存在にまで、成り下がるように働き続けるのが官僚機構です。その中でもＩＲＳ（国税庁、税務署）、ＦＢＩ、ＣＩＡが、アメリカ市民にとって恐怖の３大官僚機構です。

日本には幸いなことに、ＣＩＡとＦＢＩに相当する機構がありません。税務署は世界中どこでも嫌われる役所のナンバーワンですが、アメリカの一般庶民が一年間に支払わされる税率の統計は、48パーセントです。これではいくら働いても、暮しが楽になる道理がありません。税務署が日本以上に恐れられるのは当然でしょう。

日本の官僚機構の腐敗を、余すところなくさらけ出したのが「ダイオキシン汚職」です。それはまず焼却によって生じるダイオキシンが、殺人的な猛毒であるという、まっ赤なウソの宣伝から始まりました。手口は地球温暖化デマゴギーの流布とまったく同じです。

純粋科学の問題としては、ダイオキシンは毒物です。しかしどんな毒物でも一定の量を吸収しない限り、人体に作用することはありません。山火事や野焼きの事故で焼け死んだ人間はいても、煙に含まれるダイオキシンで亡くなった人間は古今東西のどこにもいないのです。焼き鳥のような有機物を焼いた煙には、かなりのダイオキシンが含まれています。しかしダイオキシン中毒で死んだ焼き鳥屋の主人や、板前の話は聞いたことがありません。ひと昔前の田舎には囲炉裏がありました。囲炉裏の周囲は、壁も天井も煤でまっ黒でした。当時の田舎の生活は、暖を取ることと煙でいぶされることとは表裏一体となっていたのです。もちろん囲炉裏を使って、ダイオキシンで亡くなった人などいるはずもありません。

要するにダイオキシンは無害なのです。ダイオキシンの毒性を騒ぎたてて、マスコミを手先に使い日本中を洗脳した目的は、「高速連続焼却炉の新規導入」にあったのです。日本中の自治体に焼却炉を取り換えさせれば、その金額は10兆円前後にもなるでしょうか。しかもこれに、メンテナンスと耐用年数の過ぎた炉の交換の費用も含めれば、莫大なマネーを未来永劫に盗み続けることのできるこれは、超楽勝の、天下御免の詐欺事件なのです。

この「国家犯罪」を発明したのは厚生省でした。そしてこのことを知ったほとんどの役所が、我も我もとダイオキシン利権に群がったのです。その中には東京都庁と埼玉県庁も、この国家犯罪の共同正犯として加わっているのです。中央の行政機関でクリーンなのは、宮内庁と防衛庁くらいのものでした。

そしてこの犯罪実現のために、マスコミを使ってデマ放送を流させて、無実の所沢の農家を陥れ彼らを窮地に追い込んだりもしたのです。その上で「ダイオキシン類特別措置法」という、科学的根拠のまったくデタラメな法律まで作ってしまいました。その法律には「ダイオキシンは人間の活動によって生じる物質で、本来なら自然環境には存在しない……以下略」というデタラメが書かれています。ダイオキシンが有機物の焼却によって生じる以上、地球上に森林が形成され、同時に山火事が発生するようになって以来ダイオキシンは、自然界に存在し続けています。最初の森林は恐竜時代よりも遥か昔に誕生しています。それは魚類が両生類に進化して、陸上に進出し始めた頃と思われます。

日本の現実とは、ウソつき政治家とドロボー役人が大手を振ってのさばり歩く、百鬼夜行の世界だと認識すべきでしょう。それでも社会に秩序が保たれているのは、一般庶民のモラルと生活感覚が健全だからです。

⑦ 宗 教

アメリカでは支配者たちは、宗教の効用を次のように考えそして利用しています。

「道徳、来世、救済、罪といった概念を利用しつつ、恐怖や盲目的な信仰で大衆を沈静化させ、その自然の衝動や本能を、宗教によって抑えることができる」

日本では政治的支配のツールとして、宗教を利用しようとする発想も勢力もありません。しかし自民党をはじめとして、政党や政治家の多くが、宗教団体を選挙における票田、あるいは集票マシーンとして利用しています。その見返りとして、彼らは宗教団体に対して税制面を筆頭に各種の優遇措置を与えています。このような状況は、日本の政治を劣化させただけでなく、宗教界全体を堕落させ日本人の精神生活に多大の悪影響を及ぼしています。

〈奴隷階級〉

アメリカ人の70パーセントは、奴隷階級に属しています。彼らは社会を支えるために必要な様々な仕事に従事しています。彼らは重く課税され、わずかな給料でやっと食いつないでおり、出費を完全には賄えず、失業すればすぐに酷い困窮状態に陥ります。奴隷階級が生み出す富は、支配者階級に引き渡されます。そして彼らは支配者階級に稼ぎの大半を渡しながら、ほぼ一生の間働き続けなければなりません。

このような状況が制度として固定化され、支配者たちを肥え太らせ続けているのにもかかわらず、一般のアメリカ市民は、なんらの抗議の声をあげようともしないのです。その理由は、アメリカが高度に発達した「洗脳国家」だからです。一般大衆は「自分たちは、世界で最も偉大な国であるアメリカ合衆国の自由市民である」と思い込んでいます。そして奴隷階級が「腹は満たされているものの、自立した生活ができるような富は生み出せず、蓄積もできない」ように、支配者たちは取り計らっています。つまり最低限の生活と幻想を与えることによって、権力支配を持続させているのです。

日本では格差社会が広がりつつありますが、これはアメリカ政府の要求によって、日本の政府がそうなるように、取り計らってきた結果です。

大量の貧乏人を作り出す簡単な方法があります。金融緩和によるインフレ誘導と重税です。インフレはマネーの価値を下落させるので、実質所得が減ったのと同じ効果が得られます。それに加えて重税をかければ、あれよあれよという間にみんな貧乏になってしまいます。その上で、災害復興に名を借りて大企業のフトコロには、莫大なマネーが流れ込むようにしてやります。格差社会がますます広がって、やがて日本は荒廃して行きます。アベノミクスとは、そういう政策です。権力支配の強化がその目的です。

〈不可蝕民〉

アメリカでは、「スラム街の黒人、麻薬常用者、浮浪者、犯罪組織の底辺層」といった人々は、その日その日を生き延びながら、社会から孤立した場所で人々から無視され、忘れ去られています。

日本の社会がアメリカのように、荒廃してしまわないように願うばかりです。

＊　＊　＊

アメリカにおける階級制度について語っているのは、ヴィクター・ソーンです。
「次の超大国は中国だとロックフェラーが決めた　ヴィクター・ソーン著　副島隆彦翻訳責任編集　徳間書店」を論拠としました。

＊　＊　＊

権力者プロフィール

日本にとって非常に影響の大きい、宗主国アメリカの権力者たちを紹介します。

「デイヴィッド・ロックフェラー」

彼が事実上の世界最高権力者です。１９１５年、ニューヨークに生まれました。彼は最近では、ディック・チェイニー、ポールボルカー、サンフォードワイルなどの腹臣の部下に命じて、世界を取り仕切っています。過去50年間にあった戦争の背後には、かならずデイヴィッド・ロックフェラーの存在がありました。しかし２０１３年現在、彼は98歳の高齢なので、どこまで現役の権力者として機能しているのかわかりません。病床に就いていても不思議ではありませんし、例えすでに亡くなっていたとしても、それを直ちに発表するものかどうか不明です。もしも彼が亡くなったとしたら、世界権力の内部に激震が走ることは確実です。

事実上のアメリカの国家元首であるデイヴィッド・ロックフェラーは、平成天皇訪米の時には、ニューヨークでの晩餐会の席上において、国家元首にふさわしく天皇と並んで、その傍らに位置していました。そして、天皇を自宅に招いてもいるのです。先に紹介した「世界権力者人物図鑑」には、平成天皇と共に自宅のバラ園を散策するデイヴィッド・ロックフェラーの写真が載っています。

日本でもお馴染みのビル・クリントン元大統領は、ロックフェラー家の婚外子です。父親はデイヴィッドの兄、ウィンスロップ・ロックフェラーです。彼が愛人のヴァージニア・ケリーとの間にもうけた子供が、ビル・クリントンです。実父ウィンスロップから頼まれて、ビル・クリントンを後見したのが、ビル・フルブライト上院議員です。彼は日米交流基金で、多くの日本人をアメリカに公費留学させた人物として知られています。

ビル・クリントン自身は優秀な人物であったに違いありませんが、ローズ奨学金でイギリス留学したり、イエール大学に入学したりしている経歴から、ロックフェラー家やハリマン財閥などが、彼を支援していたことが、うかがえます。なるべくしてなった大統領でした。

「バラク・オバマ大統領」

　１９６１年生まれ、２０１３年現在52歳

　大多数の日本人は、バラク・オバマという人物は、リベラルな政治家で、弱者の味方であり、平和主義者であると思い込んでいます。しかし、これらのイメージは彼の正体を隠すための虚像です。この虚像を心の底から信じきっているのが、貧しいアフリカ系アメリカ人の支持者たちです。この現象は、オバマのアフリカ系の肌の色が大いにあずかっているに違いありません。

　バラク・オバマは、ブッシュ政権を牛耳ったネオコン以上の主戦派です。それが明らかに示されたのが、ブッシュ政権下の２００７年７月にオバマが発表したパキスタン政府の、頭越しでのパキスタン国内の目標に対する爆撃計画でした。この計画は、ブッシュ、マケインそしてヒラリー・クリントンにまで厳しく批判されました。しかし後日この計画は、実行されたのです。ＣＩＡの無人偵察攻撃機プレデターが、パキスタンのミール・アリの町を攻撃し、アルカイダの傀儡組織のトップとされるアブ・ライス・リビー師を殺害したのです。このＣＩＡの暗殺作戦は、パキスタン政府の承認なしに、頭越しに実行されました。この作戦の本当の目的は、中国との戦略的協調を選んだムシャラフ大統領に対して、警告を与えることだったのです。この作戦をＣＩＡに実行させた影の実力者が、ズビグニュー・ブレジンスキーです。当時のブッシュ政権は、すでに死に体になっていました。そしてこの頃から現在に到るまで、アメリカ政府を背後から操っているのがブレジンスキーです。バラク・オバマという人物は、このブレジンスキーの操り人形なのです。

彼はコロンビア大学の学生だった１９８１年から、その後の数年間のどこかでブレジンスキーにスカウトされ、その薫陶を受けて、洗脳されたと呼ぶべきほどの、同質の思想を持つようになったと思われます。この時期のオバマの行動は秘密のベールに隠されていて、彼自身ニューヨーク時代については、ほとんどなにも語りません。コロンビア大学の成績証明書さえも、公表しないのです。卒業後は、ニューヨークで、コミュニティ・オーガナイザーとして最初の仕事に就きました。当時の上司は彼のことを、「ずばぬけて優秀な人物」と評したことが残っています。以上の諸点から見て、バラク・オバマは情報機関による秘密作戦によって作られた人物であり、扇動政治作戦のための訓練を受けていたのであろうと思われます。

オバマ大統領の最終の役割は、ブレジンスキーの操るままに、ロシアに対して「核ボタン」を押すこと、あるいはそのための道筋をつけることです。ここまでの論述に対しては「クレイジーにすぎる認識であり、気違いじみた思想である」と思うのが普通でしょう。しかし米英の通貨金融制度が崩壊しつつある現在、金融寡頭支配層は手遅れになる前に手を打とうとして、自分たちの覇権の強化に躍起です。このような状況の中で、世界のＧＮＰは50兆ドル程度にしかすぎないのに、デリバティブ市場は１０００兆ドルから２０００兆ドルを扱っています。この膨大なデリバティブの数字は虚数であり、虚数の持つエネルギーは、破壊のエネルギー以外の何ものでもありません。世界は非常に危険な状態にあるのです。これに加えて、究極の好戦主義者ブレジンスキーが、政治の実権を握ってオバマを操り続けたとしたら、世界はどうなってしまうのでしょうか。

「ズビグニュー・ブレジンスキー」

１９２８年、ポーランドのワルシャワに生まれました。ブレジンスキーはポーランド貴族の末えいで、反ロシア主義者として知られています。彼は政治的世界における天才の一人で、その本質は世界戦略家（ワールド・ストラテジスト）です。１９７９年に第１次アフガン戦争を起させたのが、ブレジンスキーです。彼はソビエト軍を、アフガニスタンに進出・侵略させるように計画して、これに成功しました。この時ブレジンスキーは、ヘンリーキッシンジャーと組んで、中国を取り込みソビエトから引き離しました。

彼はコロンビア大学の教授という顔と、歴代政権のフィクサーという二つの顔を持っています。ズビグニュー・ブレジンスキーは、デイヴィッド・ロックフェラーの腹心の部下の中でも、一格上の特別な存在です。彼はＣＦＲの最高幹部を務め、米欧日三極委員会の創設者であり、デイヴィッド・ロックフェラーと共に共同議長を長年務めています。

ブレジンスキーの世界戦略を、批判したロシア側のコメントを掲載します。

＊

ロシアは完全に武装解除するべきとの世論があるそうだが、一体どこにそんなものがあるのか。しかもブレジンスキーのような理論家たちは、武装解除後はロシアを三つか四つの国家に分割するべきと主張している。そのような世論が実際に存在するならば、私はそれに反対する。

ウラジミール・プーチン

ロシア大統領　２００７年６月４日

世界をチェスボードに見たてて、幾多の戦争を操ってきたブレジンスキーですが、彼にはその戦争の惨禍にさらされる人々の嘆きや悲しみに対して、共感したり同情したりする人間としての能力が、完全に欠落しているように思えます。

＊

アメリカの極右勢力であるネオコンと呼ばれる人々の凶暴、冷酷、好戦性は、他に類例を見ないものです。しかし彼らには、それなりの良識とか理性と呼ぶべきものがあって、ロシアと中国を戦争に引き込まないように配慮してきました。核戦争だけは避けたいと考えているからです。これに対してブレジンスキーの究極の目的は、ロシアとの戦争です。このようなところから、ブレジンスキーのニックネームは「マッド・ドッグ」。狂犬です。そのブレジンスキーも２０１３年現在80歳の高齢なので、彼の世界戦略路線は、遠からず終わりそうに見えます。ところが彼には、彼と同様にＩＱの高い、そして忠実にその思想を受け継いで、すでに政権の中枢で活躍している４人の後継者がいるのです。それは、彼の３人の息子と娘です。

マーク・ブレジンスキーは、元大統領候補ジョン・ケリーの外交政策顧問をやっています。

イアン・ブレジンスキーは、ヨーロッパ・ＮＡＴＯ問題担当国防次官補代理として、ウクライナおよびグルジアへのＮＡＴＯ拡張路線を推進しています。

マシュー・ブレジンスキーは、反ロシア主義のテロリスト集団チェチェン・テロリスト政府の「外相」イリアス・アフマドフと親しい関係にあります。彼はチェチェンのテロリストのイメージ回復のために、２００５年３月のワシントンポスト誌に、アフマドフに好意的な記事を書いた人物として知られています。

ミカ・ブレジンスキーは、ケーブルテレビ局ＭＳＮＢＣの朝のニュース番組で、元共和党下院議員ジョー・スカーボロの助手を務めています。

ミカの母親はベネシュ家の出身で、チェコスロバキア解体のきっかけとなった１９３８年のミュンヘン協定締結時の、大統領エドヴァルド・ベネシュの親戚です。ベネシュは後に、イギリスが支援するチェコ亡命政府の大統領に就任しています。彼のような東欧政治家は、反ロシア、反オーストリア・ハンガリー、反ドイツ主義者であり、イタリアの革命家マッツィーニを中心とした親テロネットワークの末えいです。イギリスが絡む政府転覆活動は、当時も今も健在です。そして現在では、その活動がブレジンスキー一族に引き継がれているのです。

ブレジンスキーの世界戦略と、その目標とする世界とは、一言で表せば次のとおりです。「世界を荒廃した貧しい弱小国家だらけにして、その上で自分たち東欧移民が、アドヴァイザーを務めるアングロ・アメリカン金融寡頭支配を敷くこと」です。

なんとも古色蒼然たる大時代の思考様式ですが、これが世界権力の頂点に立つ人々の頭の中身です。そして彼らは、目標達成のためには核戦争をも辞さない構えでいるのです。プロローグに記した「世界権力は錯乱し、暴走を始めたのかもしれない」は、この意味です。

「ジャパンハンドラーズ・日本操り対策班」

宗主国アメリカの利益のために、衛星国日本の政・官・財・学・マスコミを思うがままに操っているアメリカ政府の日本担当者を、「ジャパンハンドラーズ・日本操り対策班」と言います。プロローグでお話しました中川昭一朦朧会見を仕組んで、中川を自殺同様の死に追いやったロバート・ゼーリックは、ジャパンハンドラーズの重要メンバーの一人です。

＊＊　ジョセフ・ナイ　＊＊

政治、外交、軍事におけるジャパンハンドラーズの、トップに位置する人物です。

国民の圧倒的な支持を受けて発足した民主党政権が、あっという間にガタガタになってしまったのは、ジョセフ・ナイが鳩山、小沢をねらい撃ちにして潰してしまったからです。その理由は当時の民主党政権が、日本の独立性を高めたいと発言したからであろうと思われます。

ジョセフ・ナイは、最初ＣＩＡの対日謀略部隊に対して小沢失脚を命じました。しかしこれは成功しなかったので、その後ジョセフ・ナイの意を受けて、マイケル・グリーンが「西松献金疑惑」を仕掛け、さらに「小沢政治資金収支報告書」をタネにして攻撃を続けました。彼らの命に従って小沢潰しに暗躍した、日本側の手先は次の人々です。

検察特捜部特捜部長・佐久間達哉

検察庁検事総長・樋渡利明

最高検検事・大鶴基成

法務省・警察庁の漆間巌（前官房副長官）

彼らは小沢に罪を着せることには失敗しましたが、いつの間にか政権は自民党に移行し、小沢・鳩山の政治家としての賞味期限は切れてしまいました。

民主党内でアメリカ側の子分となって、小沢潰しに加担したのが前原誠司です。彼はこの謀略を成功させるために、マイケル・グリーンと共に岡田克也を脅して抱き込んだのでした。

マイケル・グリーンの日本側の子分には、このほかに長島昭久と小泉進次郎がいます。長島にはＣＦＲの研究員をやった経歴があり、マイケルとは、当時からの知人です。小泉進次郎はアメリカ留学時代に、マイケル・グリーンのカバン持ちをしていました。「子分」にはカウンターパート、という耳ざわりのよい表現があります。

＊＊　リチャード・アーミテージ　＊＊

２００１年９・１１同時多発テロ事件の直後に、日本に対してあの有名な「ショー・ザ・フラッグ発言」をした人物が、リチャード・アーミテージです。ショー・ザ・フラッグとは、海上に海賊船らしき船が現れた時に「所属する旗印をはっきり示せ、さもなければ砲撃する」という脅し文句なのです。

彼の任務は、安全保障問題で日本がアメリカの支持に忠実に従うように、脅しをかけ続けることです。彼はアメリカの軍事面での年次改革要望書である、「アーミテージ・ナイ・リポート」の作成者です。彼には、世界中の麻薬カルテルを取り仕切っている「麻薬王」という、裏の顔があります。ベトナム戦争の時代から、彼は麻薬を扱うことによって、ＣＩＡの軍事顧問の裏資金を背負ってきました。

ショー・ザ・フラッグ発言に関連して、アーミテージは田中眞紀子外務大臣と対立関係に入りました。アーミテージとの会見を拒否した田中に対して、彼は激怒しました。そして彼は、新聞・テレビの政治部長会議において田中眞紀子失脚を命じました。その結果、田中は新聞とテレビでボロボロになるまでイジメぬかれてしまったのです。

＊＊　フレッド・バーグステン、グレン・ハバード、竹中平蔵　＊＊

竹中平蔵は、日本のマネーをアメリカに貢がせるために、アメリカによって教育された人物です。彼を日本のマネー貢がせ係りに抜擢したのが、国際経済研究所所長フレッド・バーグステンです。バーグステンは、１９８５年のプラザ合意の下書きを書いた人物として有名です。この年のプラザ合意の正体は、先進国間での為替の密約でした。

竹中平蔵を直接教育したのが、コロンビア大学教授のグレン・ハバードです。彼はハーバード大学留学組の元銀行員にすぎなかった竹中を、学者に仕立てて日本政府に送り込みました。従って小泉純一郎は、アメリカの指令を受けて動いていた竹中の飾りものという性質が強く、小泉純一郎に対するアメリカからの直接の命令は、ごくわずかであったと思われます。

グレン・ハバードは、竹中に強引なやり方を指図しながら、その上でマスコミを使って、そのやり方にエールを送らせました。この方法はハバードの目論みどおり、政府、官僚、銀行のトップに対して強力な圧力となりました。「竹中プラン」とは、ハバードからの指令によるもので、「日本の不良債権の処理速度は遅すぎる。もっと加速せよ」と露骨に日本政府に圧力を加えて、金融業界を混乱に陥れたりもしたのです。

以上が小泉政権時に行われた、構造改革郵政民営化の内幕です。すべては、アメリカに日本のマネーを、貢がせるためにやった仕事でした。

＊＊　ジェラルド・カーティス、ロバート・フェルドマン、ケント・カルダー、エドワード・リンカーン
＊＊

ジャパンハンドラーズの中には、直接日本までやって来て現場監督として、日本政府の政策や、金融経済の運営に口を出す人たちがいます。日本の一般納税者からすれば、彼らの差し手口など、まったく迷惑千万なおせっかいにすぎないのですが、彼らはアメリカの利益のために政・財・官を動き回って、日本を悪い方へ悪い方へと誘導しています。

ジェラルド・カーティスは、これらの人々の中ではトップの存在で、現地司令官といった格付です。彼は1940年生まれで、日本の選挙制度を研究した「代議士の誕生」が認められ、28歳の若さでコロンビア大学助教授に就任した俊才です。彼は日本で「政策研究大学院大学」という日本を操るための大学を作り、自ら客員教授を務めています。日本人の妻（みどり）と結婚しています。

ロバート・フェルドマンは、モルガンスタンレー在日法人の主任エコノミストです。彼は竹中平蔵の通訳係兼教育係を務めました。そんな関係から、日本に常駐しているフェルドマンが、竹中平蔵に対するアメリカの指令を直接伝えています。

ケント・カルーダーは、ジョンズ・ホプキンス大学教授、その他研究者としての肩書きを持っていますが、実際には裏で暗躍する隠れＣＩＡとも言うべき人物です。１９４８年の生まれです。

エドワード・リンカーンは、日本の経済体制を露骨に批判し続けた過激な規制緩和論者で、郵貯は廃止すべきと唱え続けた人物です。現在はＣＦＲ（外交問題評議会）上級委員です。

権力のホンネと悪行

日本の大多数の人々は、戦争は悪であり、何があっても戦争だけは回避しなければならない、と考えています。そして永久の平和こそが人類の願いだと、心の底から信じているはずです。しかし「権力」の戦争に対する思想は、これとはまったく別のものなのです。それは通称アイアンマウンティンからの報告書と呼ばれる文書に簡明に表現されています。アイアンマウンティンとは、ニューヨーク州ハドソンの近くにある地下核防空壕のことです。この文書の正式の名前は「平和の実現可能性とその望ましさに関する調査」で、１９６６年の報告です。

この報告書の結論は一言で表現すれば、「永続的平和は社会の利益にならない」というものでした。この他にも、われわれの常識を否定し、人間の良心を逆撫でするような結論が出されています。

「医学の急速な進歩は、人間の寿命が延びるためにかえって邪魔である」

「貧困は必要かつ望ましいものである」

「軍隊は社会保障制度や医療扶助制度といった社会福祉制度の一機関である」などです。

１９６０年代には、同様の調査研究がアメリカ政府高官の肝いりで行われています。その結論は、どれも似たようなものでした。国民統治という観点から戦争を論じた結果「世界中で永続的な平和が達成されたら、アメリカはかえって大きな問題に直面することになる」というようなものだったのです。これらの思想は、世界権力のバックボーンとして今日まで承継されています。そして、まさにこのことこそが、世界から戦争と貧困がなくならない理由なのです。

当然のことですが、これらの思想は本質的に間違っています。特に「世界中で永続的な平和が達成されたら、アメリカはかえって大きな問題に直面することになる」と「永続的平和は社会の利益にならない」の二点を否定することは簡単です。日本は太平洋戦争終結後70年近い平和の中にあります。これほど長期間の平和・不戦の年月を送った近代国家は、日本の他にはありません。この約70年の間にわれわれ日本人は、史上空前の繁栄と世界一の長寿を獲得し、それを享受してきました。

現在の日本が抱えている幾つかの問題、政官の腐敗、毎年止まることのない一万人以上もの自殺者、学校における深刻なイジメの問題などは、しかし平和が原因しているのではありません。アメリカからの強要によって、行われ続けている構造改革が、その原因です。それは日本社会の根底に存在した公序良俗のかなりの部分を、破壊してしまったのです。そのため人々は、現在までの暮し方に対する自信を失い、未来への希望を萎縮させてしまいました。平和は無条件で良いことです。それは日本の戦後70年近い歳月によって、すでに証明されているのです。

アメリカの第1級の頭脳が集って作りあげたこれらの報告書は、しかし質のよくない冗談か、とんだヨタ話のように思えます。ところが、この報告書の文章に「権力にとって」「支配者にとって」「軍産複合体にとって」という言葉を挿入したり、入れ換えたりすると、突然その意味が明瞭になります。

「世界中で永続的な平和が達成されたら、軍産複合体は大きな問題に直面することになる」

「永続的平和は支配者の利益にならない」

「医学の急速な進歩は、人々の寿命が延びるために権力支配にとって邪魔である」

「貧困は権力支配にとって、必要かつ望ましい状態である」

要するに、これがアメリカと世界のスーパーパワーのホンネです。

世界最高権力の究極の目標は、地球上のすべての富の独占と、全人類に対する絶対支配の確立です。富の独占については、改めて説明するまでもなく、巨大企業やメジャーなどは事実上すでに富を独占しています。この独占を地球規模に拡大して、全世界のすべてを我物にしたいというのが、超権力のアジェンダです。

人類に対する絶対支配とは、一般市民の奴隷化あるいは家畜化を意味します。超権力の支配下に置かれた人類は、支配者のために働くのがその存在理由となります。働けなくなった人々は、処分されて消え去ります。従って奴隷化された人々は、若くて健康な間だけ生存を許されることになります。家畜や奴隷には家庭は必要がありません。教育も不要です。ＳＦの悪夢とでも形容すべき、クレージーな発想ですが、超権力者たちは本気です。

世界のスーパーパワーやスーパーリッチたちは、自らが人類の一員であり、彼らの富も権力も人類社会があればこそ存在しているのだ、ということを完全に忘れています。ここまで傲慢に、ひたすら思い上るに到ったということは、世界の超権力はすでに錯乱か発狂の段階に入ってしまったと、考えるよりありません。それは権力というものの、堕落の最終形体でもあります。世界の超権力の腐敗堕落は、人口削減の思想とその実行の方法に明白に現われています。人口増加の抑制という問題は、世界規模での議論と研究を重ねて、すべての国々の合意の上で政治、経済、環境問題の一環として実施されなければなりません。しかし世界の超権力は、戦争と病気によって、すでに人口削減を実行しているのです。そして、この病気による人口削減は、言い逃れようのない犯罪です。

世界の超権力による犯罪とは、エイズウイルスの発明と、その感染と流行の促進です。ことの始まりは、1968年のローマ会議です。この時に人口爆発防止のための人口削減について話し合われました。この席上、人口削減のためには、選択的に人間に感染し、確実に死に到らしめることのできる、自然界には存在しない病原菌を発明することが望ましい、という提案がなされました。そしてローマクラブの創設者であるアウレリオ・ペッチェイ博士は「人間の免疫システムを攻撃する病原菌を開発すべきである」との発言をしたのです。これを受けて1974年に、メリーランド州にあるフォート・デトリック生物戦争研究所が、発明したのがエイズです。

エイズとは、二種類のレトロ・ウイルスであるウシ白血病ウイルスと、ヒツジのビスナウイルスの組み合せから生まれたウイルス性の癌なのです。この全人類に対する犯罪には、WHO（世界保健機関）

が最初から関係していました。１９７２年の「世界保健公報47号２５７～67」には「ウイルスが実際に人体の免疫機能に、選択的に影響を及ぼすか否かを調べるための試みを行うべきである」とあります。つまりこの時点でＷＨＯは、ウイルス製造の可能性を研究していて、そしてＷＨＯ自身が殺人ウイルスの作成を求めたのです。

エイズ・ウイルスは、その広がり方を非常に限られた受け手に、狙いを定めることができるのが特徴です。最初にエイズ・ウイルスのターゲットとなったのは、アメリカの同性愛者（ゲイ）の人々でした。エイズによる大量殺人の実行犯は、アメリカ国立衛生研究所と疾病管理センターそして血液銀行です。その手口は次のとおりです。１９７８年に殺人鬼たちは、試験的なＢ型肝炎ワクチンをニューヨーク市に導入しました。そして、この無料のワクチンは地元の血液センターで接種してもらえるという、宣伝を行ったのです。彼らは接種希望者たちに、詳細なアンケートを書かせました。このようにして殺人鬼たちは、年齢20～40歳のゲイで決まったセックスパートナーのいない、１０４０人の男たちを選び出して、エイズ・ウイルスの混入されたＢ型肝炎ワクチンを接種したのです。同様の「エイズ・ウイルス入りのワクチン摂取プログラム」がシカゴ、サンフランシスコ、ロサンゼルス、セントルイス、デンバーで繰り返されました。以上がアメリカにおけるエイズ大流行の、発端です。エイズはゴムなしでセックスするか、麻薬中毒者がやるように注射針の使い回しをすれば、簡単に感染します。一度流行が始まったら、これを根絶することはできません。

アメリカ以外にエイズが大流行した場所は、ウガンダ、中央アフリカ、ハイチ、ブラジルです。この地域では、ＷＨＯ（世界保健機関）が、天然痘の予防接種を行っています。ＷＨＯが天然痘の予防接種に混ぜて、エイズ・ウイルスをばら撒いたのは明らかです。

国連には裏と表の顔があり、表の顔は衆知のとおり、国際社会の平和と安全の維持のために存在するというものですが、裏の顔はビルダーバーグの下部組織として、世界のスーパーパワーの指令に従って、どんな悪事でも働くという悪魔の顔です。エイズ・ウイルスによる黒人種ホロコーストと呼ぶべき、大量殺人をＷＨＯがやったという一事をもって、国連とはビルダーバーグの命ずるままに、世界を欺きながら、やがては全人類を核の地獄へと引きずり込んでゆく、悪の機関であると私は断定します。

超権力は、すでに地球の所有者を自任しています。だからこそ彼らが忌み嫌い、その生存を否定するべきゲイと黒人種の絶滅を企てたのです。全人類の絶対隷属計画についても、着々としてその布石が打たれています。完全支配のためには、すべての被支配者に対する完璧なデータを、一元管理する必要があります。住基ネットがその原点です。それは国家が全国民を監視するシステムであり、国民を政府に対して絶対隷属させる目的を持って作られたシステムです。住基ネットとは、旧ナチスドイツの国家統制の手法を、コンピューターシステムによって発展させたものです。自由をはく奪した監視社会の構築が、国民を絶対隷属に置くための条件ですが、そのためには住基ネットが必要なのです。これは日本政府の発案ではありません。アメリカの命令で始めた仕事です。アメリカは、あるいはその背後にいるビルダーバーグは、住基ネットを非常に重視しています。だからこそ彼ら闇に潜む者たちは、大阪高裁竹中省吾判事を暗殺してしまったのです。判事は「住基ネットは憲法違反」との違憲判断を下しました。日本において住基ネット憲法違反が確定し、住基ネットが否定されてしまうと、ビルダーバーグの人類隷属化計画が頓挫してしまいます。判事の死によって、以後は次々に住基ネット合憲の司法判断が下されて今日に到っています。警察もマスコミも判事の死を自殺として片付けてしまいました。しかしこの事件は、司法に対する脅しを含んだ見せしめ、としての暗殺であったことは間違いありません。なぜならば、竹中判事には自殺すべき理由がなにもなく、普段とまったく変わらない生活をしていました。そしてこの事件の翌々日には、法廷に臨むべき裁判が、判事を待っていたからです。

判事を暗殺したのは、ＣＩＡ日本支局のプロの殺し屋たちです。日本には代々木と東京にもう一ヵ所、ＣＩＡ日本支局があります。そこには合計50人くらいのＣＩＡ職員と、それぞれのスタッフ一人につき5人程度の日本人メンバーが雇われていて、常時暗躍をしています。

アメリカ絡みの、この種の事件に関しては、警察は意図的に関与をしません。それはＧＨＱ以来の、日本の警察とアメリカとの不変の関係であり、不文律です。警察にはＡという業界用語があり、アメリカ絡みの事件をA絡みと言います。Aには目をつむってしまうのが鉄則です。

住基ネットに個人情報をすべてインプットしたとしても、これだけではすべての民衆を国家の監視下に置いて、コントロールすることは不可能です。個人に対して、その情報を携帯させることができれば、監視社会はほぼ完成します。アメリカでは運転免許証に、自動車の運転とは直接関係のない個人情報が、記載されている模様です。これは未確認情報ですが、現在州政府が発行している運転免許証を連邦政府発行に切り替えて、マイクロチップ入りの免許証を交付しているとのことです。それと同時に全米すべての人々に、連邦政府発行のマイクロチップ入りの身分証明書の携帯を、義務付けようとする動きがありました。しかしこれが、すでに成立したかどうか不明です。

同様の動きはヨーロッパにもあり、フランスでは90パーセントの人々が、IDカードを携帯しています。イギリスでは、数年前にIDカード携行の強制を立法化しようとする動きがありました。これが成立したか否かは不明です。

ビルダーバーグの妄想病者たちは、人類隷属化の最終手段として、すべての個人情報を入力したマイクロチップを人々の体内に埋め込んで、全世界の人間を奴隷として支配したいと考えています。このマイクロチップ自体はすでに実用化されていて、マイクロチップを埋め込んだ犬などが、ペットショップで売られています。迷子になった時に、すぐに居場所がわかるというのが、ショップの歌い文句です。

ビルダーバーグの悪人たちは、マイクロチップに個人の学歴、職歴、犯罪歴、医療、財政記録、免許証、パスポートなどのデータと発信機能を入力して、全人類を彼らに奉仕する奴隷や家畜にしたいと、考えているのです。

このような卑劣なことを考えたり実行したりしている人々は、一般大衆が洗脳状態から覚醒することを、なによりも恐れています。アメリカの場合には、権力の犯罪に気が付いて、怒りに燃えるであろうアメリカ市民を、彼らは恐怖し警戒しています。覚醒したアメリカ市民は、かならず3億数千万丁の拳銃、ライフル、自動小銃などを手にして、ホワイトハウス、ウォール街そしてロックフェラー他のスーパーリッチたちの邸宅に、押し寄せるに違いありません。これがアメリカのスーパーパワーたちの悪夢です。そのため彼らは、一般大衆から銃を取り上げようとして躍起です。オバマ大統領は銃規制を強化して、この問題を解決しようとしています。しかし日本では考えられないことですが、銃の所持は基本的人権のひとつであるというアメリカの思想は、権力の暴走がここまで来てしまった以上、アメリカ市民にとっては正しい思想であるに違いありません。

アメリカでは思い出したように、銃乱射事件が起ります。しかしどの場合も、多数の無実の犠牲者を出したまま、犯人は自殺するか射殺されるかして、その動機が解明されないままに終っています。実は、それが当然なのです。なぜならば、乱射事件の犯人である青少年たちは、ＣＩＡに洗脳され操られて事件を起していているからです。ＣＩＡの目的は、アメリカ国民から銃を取り上げることです。事件に対する嫌悪感から、人々が銃の所持に反対するように、ＣＩＡは世論誘導をしているのです。

彼らの乱射事件犯人製造の手口は、次のとおりです。まず学校の記録や懲戒者（不良生徒）名簿の中から、候補者になりそうな人間を選びます。次にその人間の個人的な生活を調べます。溜り場はどこか、両親は誰か、そして、どんなテレビゲームをやっているかを知ることは、特に重要です。なぜならば、人間は相当に激しい挑発か、そのように駆り立てる外からの強力な刺激がない限り、人を殺そうとは思わないからです。しかし現在、アメリカで売られている極端に暴力的なテレビゲームは、軍で兵士に殺しの技を教え込む時に使われているものと、まったく同じものなのです。ゲームの中に、あるいはコンピューターそのものの中に、サブリミナル素材が組み込まれています。このような青少年に、プロザック（抗うつ剤）やリタリン（向精神薬・興奮抑制剤）を与えて頭脳を混乱させ、サブリミナル・メッセージを吹き込めば、命令に従って人殺しをするロボットが出来上がります。

一見リベラルな姿勢を思わせるオバマ大統領の銃規制政策ですが、真相はロックフェラーの手先として、アメリカ大衆の牙を抜こうとする陰湿なやり口にすぎません。

ビルダーバーグの最終目的は、世界統一政府を樹立して、彼らが全世界を私有し、そして新奴隷制社会の支配者として、永久に君臨しようというものです。

そのためには、まず手始めに世界中の国々を貧しい状態に追い込み、国民を愚民化して、国家主権を取り上げやすい状態にしておく必要があります。それと同時にヨーロッパにユーロを作ったように、世界のブロックごとに統一通貨を作って、ビルダーバーグによる経済支配を徹底させます。その上で、すべての国と国民が国家を否定して、世界統一政府の出現を待ち望むように仕向けるのです。その方法は国家を操って、大戦争を起させ、世界中の人々に戦争への恐怖と嫌悪を植え付けます。そして、このような悲惨な戦争を二度と起させないためには、国家を否定して世界統一政府の一員になるしかない、と世界中の人々に思い込ませます。この手口は、銃乱射事件を自作自演して、人々に銃に対する恐怖と嫌悪を与えて、銃を取り上げてしまおうとするやり口と同じ発想です。

世界規模での大戦争が起れば、当然核兵器が使われます。世界人口の80パーセント以上の人々が死ぬことになります。ロックフェラーもロスチャイルドもビルダーバーグも、そんなことは気にしません。世界人口の80パーセント削減という思想は、30年以上昔からのビルダーバーグのアジェンダ(達成目標)なのです。しかしながら、核戦争ともなれば彼らスーパーパワーも無事ではいられません。かなりの長期間、避難を続けるためのシェルターが必要です。どうやら欧米を中心に、かなりの数のシェルター、地下基地が建設されているようなのです。日本でも東京の地下には、巨大地下空間が建設されています。そしてその用途と目的には、よくわからないところがあります。

これらの地下巨大施設について「9・11の超不都合な真実・菊川征司・徳間書店」は次のように語っています。

＊　＊　＊

世界統一政府への兆候――軍の地下基地建設

1995年の時点で、アメリカ国内には131ヵ所の軍の大規模地下基地が存在することが、その工事に従事した人たちの告発によって明るみに出ました。

基地はおおむね既存の都市の地下3・2キロメートル（2マイル）の深さからはじまり、何層にも分かれているようです。1ヵ所の建設費が17～26ビリオンドル（2兆400億～3兆1200億円）かかりますが、年に2ヵ所のペースで建設が進められているようで、1ヵ所の基地では規模によって1800人から1万人の人間が作業に従事しているとのことです。

この131ヵ所の地下基地は、すでに実用化されているリニアモーター列車で繋がっていて、どこへ行くにも非常に短い時間で移動が可能のようです。

基地内部の構造がはっきりしないので、これだけ多くの基地の明確な使用目的は不明ですが、アメリカ政府は手錠と足かせがついた列車を大量に発注したという情報があります。

この２つを組み合わせると、この地下基地は政府の方針に反対する人たちの収容所、もしくは強制労働施設として、昔の共産ソ連が囚人を送り込んだシベリアと同じ役割をはたす可能性が指摘されています。そして興味深いのは、この種の地下の大規模基地は、アメリカだけでなく世界中に存在していることです。１９９５年の時点でその数は１４７７ヵ所におよぶと言われています。

その１つで、ノルウェー政府が現在北極近くに建設中の地下基地の様子が、インターネットに出てきました。その基地には世界中から集めたありとあらゆる種類の大量の野菜・フルーツ・植物が種子も含めて貯蔵される予定らしく、その完成は２０１１年とのことです。

（中略）

大量の種子の備蓄は、大災害によって地球上のほとんどの植物が壊滅する可能性があるからでしょうか。場所が北極の近くなのは、天然の冷蔵庫ですから、電気がなくても長期間保存が可能だからではないでしょうか。

この国民に内緒にした大規模な地下基地の建設がはじまったのは、第2次世界大戦中と言われています。現在このような地下基地が世界中に存在するということは、きたるべき災害が全世界を覆いつくしてしまうほど大規模であると、戦前から予想されていたのでしょうか。

民衆にその事実を知らせたら、パニックが起きて収拾がつかなくなることは目に見えていますから、私たちがまったく知らないのも理解はできますが、全世界192ヵ国におよぶ各国の政府首脳たちは、その大災害の来る時期を知らされているのでしょうか。

他の国はいざ知らず、アメリカ政府は間違いなく知っています。（後略）

＊　＊　＊

世界のスーパーパワーは、すでに発狂しつつあると私は思います。彼らは全世界を巻き込んで、自爆と自滅へ向かって暴走しているのです。これを阻止する方法は非常にシンプルで、そして効果的です。もしも多くの人たちが賛成して、実行して下されば……の話ですが。次の「＝純白の未来を開く」でそのことについてお話します。

＊　＊　＊

２００５年度ビルダーバーグ会議　出席者名簿

（ダニエル・エスチューリンのレポートから）

ビルダーバーグ・グループが秘密結社であることを忘れてはならない。会議開催事務局は出席者名簿を外部に提供することも、記者会見を開くこともしない。そして、全員が秘密厳守の誓いを立てている。ビルダーバーグのメンバーは世間の目を恐れている。

なお名簿を見る際に覚えておいてほしいのは、招待客のなかに、ビルダーバーグの新メンバー候補、すなわち何とかしてその世界計画の支援者にしたい候補者が相当数いるということだ。また、それぞれの氏名の前には出身国が表示されているが、ビルダーバーグ会議には国際機関からの出席者も多いため、常時出席者が出る機関の関係者については、国名に代えて「国際」と表示した。

名誉会長

ベルギー　　エティエンス・ダビニオン

　　　　　　スエズ・トラクテベル副会長

名誉事務局長　　マーチン・J・テーラー
英国　　ゴールドマンサックス国際顧問
オランダ　　ヨツィアス・J・ファン・アールツェン　自由民主国民党（VDV）党首
パレスチナ　　ジアド・アブアマール　パレスチナ立法評議会議員、パレスチナ外交問題評議会議長、
ゼルゼイト大学政治学教授
ドイツ　　ヨーゼフ・アッカーマン　ドイツ銀行グループ経営委員会会長
国際　　ホアキン・アルムニア・アマン　欧州委員会委員
ギリシャ　　ジョージ・アロゴスクフィス　経済財務相
トルコ　　アリ・ババカン　経済問題担当相
ポルトガル　　フランシスコ・ピント・バルセマン　元首相　IMPRESA会長兼CEO
国際　　ホセ・M・ドウテン・バロッソ　欧州委員会委員長
スウェーデン　　エリック・ベルフレージ　SEB上級副社長
イタリア　　フランコ・ベルナベ　ロスチャイルド・ヨーロッパ副会長
フランス　　ニコラス・ペイトウ　「フィガロ」紙編集長

オーストリア　オスカー・ブロンナー　「スタンダード」紙編集発行人
英国　ジョン・ブラウン　ブリティシュ・ペトロリアム・グループＣＥＯ
デンマーク　フーベルト・ブルダ　フーベルト・ブルダ・メディア経営委員会会長
アイルランド　デービッド・バーン　ＷＴＯ国際感染症特別使節、元欧州委員
フランス　フィリップ・カミュ　欧州航空宇宙防衛会社（ＦＡＤＳ）ＣＥＯ
フランス　アンリ・カストリース　ＡＸＡ会長
スペイン　ホアン・ルイス・セブリアン　ＰＲＩＳＡ最高経営責任者（ＣＥＯ）
米国　ティモシー・コリンズ　リップルウッド・ホールディングス社長兼ＣＥＯ
フランス　ベルトラン・コロン　ラファージュ会長
スイス　パスカル・クシュパン　内相
ギリシャ　ジョージ・Ａ・デービッド　コカ・コーラＨＢＣ会長
フランス　テレーゼ・デルペシュ　原子力委員会戦略問題研究所長
ギリシャ　アナ・ディアマントプールー　国会議員
オランダ　アーサー・Ｗ・Ｈ・ドクターズ・ファン・リューベン　金融市場規制当局委員会委員長

米国　トーマス・E・ダニロン　オメルベニー・アンド・マイヤーズのパートナー
ドイツ　マサイアス・ドッパー　アクセル・スプリンガーCEO
デンマーク　アンデルス・エルドラップ　DONG社長
イタリア　ジョン・エルカン　フィアット副会長
米国　マーチン・S・フェルドスタイン　全米経済研究所（NBER）所長兼CEO
米国　ウイリアム・C・フォード・ジュニア　フォード・モーター会長兼CEO
米国　ティモシー・ガイトナー　ニューヨーク連邦銀行総裁
トルコ　イムレグル・ゲンサー　グローバル・インベストメント・ホールディング取締役
イスラエル　エイバル・ギラディ　シャロン首相の戦略顧問
アイルランド　ダーマット・グリーソン　AIBグループ会長
米国　ドナルド・E・グラハム　「ワシントンポスト」紙会長兼CEO
ノルウェー　ビョン・T・グリーデランド　EU駐在大使
ポルトガル　アントニオ・グテーレス　元首相、社会主義インターナショナル議長
米国　リチャード・N・ハース　外交問題評議会（CFR）会長
オランダ　ビクター・ハルバースタット　レイデン大学経済学教授

ベルギー　ジャン・ピエール・ハンセン　スエズ・トラクテベルCEO
オーストリア　ハンス・ピーター・ハーゼルスタイナー　バウホウルディング・ストラバクCEO
デンマーク　コニー・ヘデガー　環境相
米国　リチャード・C・ホルブルック　ペルセウス副会長
国際　ジャープ・G・フープ・シェファー　NATO事務局長
米国　アラン・ハバード　経済政策担当大統領補佐官、国家経済委員会委員長
ベルギー　ヤン・ユイグベアート　KBGグループ会長
米国　ジェームス・ジョンソン　ペルセウ副会長
国際　ジェームズ・L・ジョーンズ　欧州連合軍最高司令官
米国　ジョン・M・キーン　グローバル・ストラテジーズ・インターナショナル（GSI）社長・陸軍退役中将
英国　ジョン・カー　シェル、リオ・ティント、スコティシュ・アメリカル・インベストメント・トラスト各社の取締役
米国　ヘンリー・キッシンジャー　キッシンジャー・アソシエーツ会長
ドイツ　クラウス・クレインフェルト　シーメンス社長兼CEO

フランス　ベルナール・クシュネル　全国被雇用者医療保険金庫（ＣＮＡＭ）総裁、「国境なき医師団」創設メンバー
ドイツ　ヒルマー・コッパー　ダイムラー・クライスラー監査役会会長
トルコ　ムスタファ・コチ　コチホールディング会長
米国　ヘンリー・Ｒ・クラビス　コールバーグ・クラビス・ロバーツ・アンド カンパニー創立パートナー
米国　マリー・ジョゼ・クラビス　ハドソン研究所主任研究員
国際　ニーリエ・クロー　欧州委員
スイス　アンドレ・クデルスキ　クデルスキ・グループ会長兼ＣＥＯ
フランス　パスカル・ラミー　ノートル・ユーロップ社長、元欧州委員
米国　マイケル・Ａ・レディーン　アメリカン・エンタープライズ研究所
フィンランド　エリッキ・リーカネン　フィンランド銀行総裁
ノルウェー　ゲイル・ルンデスト　ノルウェー・ノーベル賞委員会事務局長、ノーベル研究所所長
米国　ウィリアム・Ｊ・ルティ　近東および南アジア担当国防副次官
デンマーク　モーエンス・リュッケトフト　社会民主党党首

カナダ　　イルシャド・マンジ　「ジハード・プロジェクト」著者・立案者
米国　　ジェシカ・T・マシューズ　カーネギー国際平和基金理事長
カナダ　　ブルース・マウ　ブルース・マウ・デザイン
カナダ　　フランク・マッケンナ　駐米大使
米国　　マーク・C・メディッシュ　エイキン・ガンプ・ストラウス・ハワー・アンド・フェルド
米国　　ケネス・B・メスルマン　共和党全国委員会委員長
ドイツ　　アンゲラ・メルケル　キリスト教民主同盟（CDU）党首、CDU／キリスト教社会同盟（CSU）統一会派党首
スロバキア　　イワン・ミクロス　副首相　財務相
フランス　　ティエリー・ド・モンブリアル　フランス国際関係研究所（IFRI）所長
国際　　マリオ・モンティ　ボッコニ大学学長、元競争政策担当欧州委員
カナダ　　ヘザー・モンロー・ブルーム　マギル大学学長兼副総長
ノルウェー　　アエギル・マイクルバスト　SAS会長
ドイツ　　マティアス・ナス　「ツァイト」副編集長
ロシア　　エレーナ・ネミロフスカヤ　モスクワ政治学院創設者、学院長

オランダ　ベアトリックス女王
ポーランド　アンジェイ・オレホフスキ　連帯代表
フィンランド　ヨルマ・オリラ　ノキア・コーポレーション会長兼ＣＥＯ
国際　トマーゾ・パドア・スキオッパ欧州中央銀行執行理事会理事
スペイン　ロヨラ・デパラシオ　スペイン国民党党首
ギリシャ　ゲオルギオス・Ａ・パパンドレウ　全ギリシャ社会主義運動（ＰＡＳＯＫ）党首
米国　フランク・Ｈ・パール　ペルセウス会長兼ＣＥＯ
米国　ノーマン・パールステイン　「タイム」誌編集長
フィンランド　ミカエル・ペンティカイネンサノマ・コーポレーション社長
米国　リチャード・Ｎ・パール　アメリカン・エンタープライズ研究所・元国防政策諮問委員会委員長・現委員
ドイツ　フリートベルト・プリューガー連邦議員、ＣＤＵ／ＣＳＵ統一会派
ベルギー　フィリップ殿下
カナダ　Ｊ・ロバート・Ｓ・リチャード　トルスター・メディア社長、トルスター・コーポレーションＣＥＯ

国際　ロドリゴ・デ・ラト・イ・フィガレド　ＩＭＦ専務理事
カナダ　ヘザー・ライスマン　インディゴ・ブックス・アンド・ミュージック社長兼ＣＥＯ
米国　デービッド・ロックフェラー　ＪＰモルガン国際諮問委員会委員
米国　ジュディス・ロダン　ロックフェラー財団理事長
スペイン　マティアス・ロドリゲス・インシアルテ　サンタンデール・グループ副会長
米国　デニス・Ｂ・ロス　ワシントン近東政策研究所長
フランス　オリビエ・ロイ　フランス国立科学研究センター（ＣＮＲＳ）上級研究者
ポルトガル　ヌノ・モライス・サルメント　元官房長官兼国務担当相、国会議員
イタリア　パオロ・スカロニ　エネル社長兼ＣＥＯ
ドイツ　オットー・シリー　内相
オーストリア　ルドルフ・ショルテン　オーストリア管理銀行経営執行役員会役員
ドイツ　ユルゲン・シュレンプ　ダイムラー・クライスラー会長
ドイツ　エッケハルト・シュルツ　ティッセンクルップ会長
スペイン　ミゲル・ガスコン・セバスチャン　経済担当主席首相顧問
イスラエル　ナタン・シャランスキー　元エルサレムおよび離散ユダヤ人担当相

イタリア　ドメニコ・シニスカルコ　経済財務相
英国　ロバート・スキデルスキー　ワーウィク大学政治経済学教授
スペイン　ソフィア王妃
アイルランド　ピーター・D・サザーランド　ゴールドマンサックス・インターナショナル会長、ブリティッシュ・ペトロリアム会長
ポーランド　ヤツェク・スツワジコフスキー　ボルスカ・グループ・ファーマセウティツナCEO
フィンランド　テイヤ・ティーリカイネン　ヘルシンキ大学欧州研究ネットワーク長
オランダ　ミシェル・ティルマン　ING会長兼CEO
国際　ジャン・クロード・トリシエ　欧州中央銀行総裁
トルコ　キュネイト・ユルセベレ　「ヒュリエト」紙コラムニスト
スイス　ダニエル・L・バセラ　ノバルティス会長兼CEO
オランダ　イエルーン・ファン・デル・フェーア　ロイヤル・ダッチ・シェルグループ会長
米国　ジョン・ピノカー　「インターナショナル・ヘラルド・トリビューン」紙主任記者
スウェーデン　ヤコブ・ウォーレンバーグ　インベスターAB会長、SEB銀行副会長
米国　マーク・R・ワーナー　バージニア州知事

英国　ピーター・ウェインバーガー　ゴールドマン・サックス・インターナショナルＣＥＯ
ドイツ　マティアス・ビスマン連邦議員、ＣＤＵ／ＣＳＵ統一会派
英国　マーチン・Ｈ・ウルフ　「ファイナンシャル・タイムズ」紙編集次長・経済コメンテーター
国際／米国　ジェームズ・Ｄ・ウォルフェンソン　世界銀行総裁
米国　ポール・ウォルフォビッツ　世界銀行総裁就任予定者
米国　ファリード・ザッカリア　「ニューズ・ウィーク」誌国際版編集長
ドイツ　クラウス・ツムウィンケル　ドイツ・ポスト会長

報告書作成担当者
英国　ジョン・Ｒ・ミクルスウエイト　「エコノミスト」誌米国版編集長
英国　アドリアン・Ｄ・ウールドリッジ　「エコノミスト」誌海外特派員

＊　　　＊　　　＊

「権力支配」から「２００５年度ビルダーバーグ会議出席者名簿」までの論述において、その論拠を置き、かつ一部を抜粋転記した書籍は次のとおりです。ご参照下さい。

「次の超大国は中国だとロックフェラーが決めた　上下　ヴィクター・ソーン著　副島隆彦翻訳責任編集　徳間書店」

「オバマ　危険な正体　ウェブスター・G・タープレイ著　太田龍監訳　成甲書房」

「世界権力者人物図鑑　副島隆彦　日本文芸社」

「9・11テロの超不都合な真実　菊川征司　徳間書店」

「ビルダーバーグ倶楽部　ダニエル・エスチューリン　山田郁夫訳　バジリコ株式会社」

＊　＊　＊

〔Ⅱ〕純白の未来を開く

超権力という巨悪によって全世界が滅亡の危機にひんしているということを、これまで語ってきました。これ以上、彼らの好き勝手に世界を支配させてはなりません。彼らの権力は、まっ赤なウソと誤魔化しの上に築かれています。世界中の民衆をだまし続けない限り、彼らの権力はいずれ破綻します。すでに彼らのウソは、あちこちでほころびを見せています。ウソと誤魔化しが、事実の前で崩れつつあるのです。今後2～3年もすれば、誰も地球温暖化の脅威など信じなくなるでしょう。２０１３年の東北・北海道の厳冬と猛吹雪とは、地球が寒冷期に入ったことのダイレクトな徴候です。これから地球は、どんどん寒くなっていくのです。その時、今までウソの気象情報を流しまくっていたＮＨＫや気象庁は、どんな弁解をするのでしょうか。

日本の政官財学マスコミは、世界権力の手中にあります。日本の政府は、アメリカの外交問題評議会の下部機関にすぎません。どの政党が政権を取っても、誰が総理大臣になろうとも、その関係は変りません。ほとんどの政治家が、世界権力の手先、民衆の敵に成り下がっているのです。従って体制内改革をしようとして、直接的な政治行動を試みても、政治を変革することはできません。例え純粋真摯な志を持った人たちが結党し、政界に打って出ても、旧勢力と会派を組んだり、連立したりすれば、自己保身のためだけに政治家商売を続けている海千山千の古狸に、利用され食い尽くされ骨までしゃぶられて万事終わり、ということになるのが関の山です。なぜならば、体制内変革が可能だとする思想は、世界の政治情勢の真相と権力構造の無知に由来するからです。もしもそれらについて熟知していたならば、自民党と連立して、民衆のための政治改革が成立するとは、夢にも思わないはずだからです。このような状況は、一見すると八方ふさがりのように思えますが、決してそうではありません。

世界人類の側に、そして民衆の側に立って政治を主張するならば、まず第一に政官財学マスコミは、敵として認識しなければなりません。敵と味方を厳格に区別して、その上で敵の弱点を突くのです。

いかに民主主義が空洞化してしまったとは言え、民主主義は日本の国是です。政府は国民の信任なしには、何もできません。それにもかかわらず、政府も政治家も国民の願いを裏切って、世界権力の意向に盲従し、国民を害することばかり、やっています。彼らにとっては、アメリカと財界におべっかを使って、自らの権力基盤を強化し、不正にひねり出したマネーを自分の懐にねじこむことが、最大の関心事です。そのために彼ら政府と政治家は、国民をだまし誤魔化し真実を隠しながら、まっ赤なウソを平気でつきながら、国民を苦しめるための法律を作ったり、成立させたりしているのです。これが日本の政府と政治家の正体です。そして彼らの弱点は、国民の不信任です。ですから日本国民は勇気をもって、政府と政治家に対して、現在の政治の在り方そのものに対して、明確に不信任を表明すべきなのです。不信任という民衆の意志を、いかにして示すかという方法は後述します。その前に民衆の意志が示されることによって、政府を揺さぶってその思惑を骨抜きにし、アメリカ大統領の訪日までも阻止してしまった国民運動のあったことを、お話します。

今や日本の政府に対してだけ為される民意の表明は、時代遅れでもあり効果も半減してしまいます。なぜならば、すべての問題は日本単独に存在するのではなく、同時に世界の問題でもあるからです。世界を操るスーパーパワーに対して、彼らの悪行を日本の民衆が知っており、それに向かって怒りの声をあげている、ということをアピールすることが大切です。この運動が盛り上る時、日本の政府も政治家もあわてふためくことでしょう。

スーパーパワーによる、人類史上類例のない二大犯罪事件があります。ひとつは、「9・11同時多発テロ事件」であり、もうひとつは「エイズウイルスを使って、黒人種の絶滅を企てたこと」です。前者を自作自演したことは、アメリカという国家そのもののアキレス腱です。なんと言っても、この国家犯罪は共和党民主党が協力し、CIA、FBI、空軍、そして政官財が一体となってやったのですから、ここを公然として糾弾されたならば、日本の宗主国アメリカは、のたうちまわるに違いありません。後者については、世界中の民衆が怒りをもってその罪の深さを追求する時、ビルダーバーグのスーパーリッチたちは、最早やこの地球上のどこにも、彼らの存在すべき場所のないことを思い知るでしょう。

日米安保争乱

かつて民衆の意志がダイレクトに政府に示されて、政府を揺さぶり政治を動かした時代がありました。最初にして最大の意志表示は、１９６０年（昭和35年）の日米新安保条約反対のデモンストレーションでした。

新安保条約を巡る騒乱は、１９６０年2月5日の第34回通常国会の休会明けに端を発しました。当時の論争を単純化すれば以下のとおりです。政府自民党の主張は「安保による日米結束で、共産主義陣営に立ち向うべきである」というものでした。これに対して野党第一党の日本社会党の主張は「安保の即時無条件解消による積極中立主義により、東西の緊張緩和をはかるべきである」というものでした。この論戦は新安保条約の批准の是非を問うために行われたものだったのです。条約の調印は同年1月19日に、アメリカのワシントンにおいて、アイゼンハワー大統領同席のもとに、岸首相以下の全権とハーター米国務長官ほかの米側全権によって、すでに調印されていました。従って政府自民党としては、万難を排してもこの条約の批准を実現しなければならなかったのです。しかし安保条約批准の是非を巡る論戦は、5月19日に決行された自民党による強行採決のその時まで、延延として続けられていました。

この間、安保改定阻止国民会議をはじめとして、全学連、労働組合などが「批准反対請願大会」や「請願デモ」などを行っていました。これらはすべて、静かで平和的な請願デモでした。事態が一変して騒乱のデモンストレーションとなるのは、強行採決の実情と、それに続く政府の予定が一般に知れ渡った直後からです。

政府自民党は通常の国会手続きに従ったのでは、条約の批准は不可能だという判断を下しました。しかし岸内閣にとっては、不可能を可能にしてでも条約を批准しなければならない事情がありました。それは6月19日にアイゼンハワー大統領の来日が、すでに予定されていたということでした。その一方で34通常国会の会期は、5月26日で切れてしまうのです。そこで自民党は、国民はもとより全野党の誰もが予想すらできなかった、思いもよらない行動に出たのです。

5月19日に自民党はまずはじめに、衆参両院議長に50日間の会期延長を申し入れるとともに、安保特別委員会で審議の打ち切りを強行する姿勢を示しました。その上で同日正午に、衆議院議院運営委員会理事会を開きました。しかし会期延長の話し合いがつかなかったために、午後4時28分に理事会は散会となるのです。ところが奇怪なことに、11分後の4時39分に荒船清十郎議運委員長は、突如として議院運営委員会の開会を宣言し、万人の意表を突いて、自民党だけで会期延長を可決してしまったのです。

単独採決の報を聞いた社会党議員は、秘書団と共に衆議院議長室前の廊下で、抗議の座り込みを開始しました。同時に緊急事態発生を知った請願デモ隊は、降りしきる雨の中を国会周辺に集まって、繰返しジグザグ行進を行ったのです。

午後10時25分、自民党の小沢佐重喜安保特別委員長は、衆議院本会議開会の予鈴を合図に、突如として開会を宣言しました。会議は大混乱となり怒号とこずきあいの喧騒の中で、議事録の記録もなされないまま、「質疑打切りの動議」「新条約の承認を求める件」「新条約・協定関係整理法」が可決されたのです。開会から可決まで、この間わずかに2分間の出来事でした。

午後11時7分、清瀬衆議院議長の要請で、５００人の警官隊が院内に入り、座り込み中の社会党議員と秘書団をゴボウ抜きにして、排除したのです。

11時48分、清瀬議長は自民党議員にかつがれて本会議場に入り、自民党議員だけの出席のもとに開会を宣言し、数分間で会期50日の延長を可決しました。さらに日が20日に移った0時6分、再び本会議が開かれました。そして新条約、新協定などの採決が行われました。この二つの本会議には、野党はもちろん、自民党反主流派の松村・三木・石橋派のほとんどの議員が出席せず、河野一郎は途中で退場をしたのです。

会期を一週間も残していながら、その延長を与党だけで強行採決し、しかも会期を延長しながらなんの審議もせずに、新条約を強行採決したのは、明らかに異常かつ異様な暴挙でした。しかし自民党の首脳部にとっては、6月19日のアイゼンハワー大統領来日に備えての、予定の行動だったのです。アイゼンハワー来日までに、条約を批准するためには「条約の自然承認」を成立させる以外に方法はなく、そのためには5月19日がタイムリミットだったのです。彼らは、野党議員たちが彼らの術中にはまって批准阻止に失敗したことを、してやったりとほくそ笑んだに違いありませんでした。しかし事態は、自民党首脳部の望んだようには進行しませんでした。なぜならば、この強行採決を起点として安保騒乱が、燎原の火のごとくに燃え広がって行ったからです。

5月19日と20日の自民党による深夜の強行採決は、国民に対して強烈な衝撃を与えました。それまでは安保改定に賛否を決めかねていた人々を、広範囲に批准強行反対の運動に結集させる結果を生んだのです。なぜならば非常に多くの人々が、この強行採決を岸内閣による議会制民主主義の破壊として受け取ったからでした。

5月20日の午後には、10万人の請願デモが国会に押しかけ、文芸家協会やYWCAなどを含む広範囲の団体が、いっせいに政府非難の声明を発表し、群馬県では商工連加盟の商店が、抗議の閉店ストを行いました。

21日には、朝日新聞と毎日新聞が「岸内閣総辞職・衆議院解散」の社説を掲載し、国民会議のデモ隊3万人が、首相官邸と渋谷区南平台の首相公邸を取りまきました。

この間、国会正門には警視庁の大型整備自動車がバリケードとして並び、23日には首相官邸に鉄条網が張りめぐらされました。

24日には学者、文化人２５００人が、岸内閣総辞職要求をかかげて静かなデモを行い、25日には、人権を守る婦人協議会主催のデモが行われました。

26日、国民会議主催の５・２６統一行動は、15万人の請願運動として計画実行されました。ところが実際には、主催者の予想を上まわる17万人が参加するという、空前の国会デモとなったのです。

６月４日には、国労・動労・私鉄総連が、参加人員５６０万人の第１波実力行使を行い、早朝から午前7時すぎまでの、通勤電車と長距離列車の大部分が麻痺状態となりました。

このような国民的反対運動と世論の盛り上がる中、政府はひたすらに条約自然成立までの時を、待ち続けていました。６月19日には日米修好通商条約１００周年を記念して、アイゼンハワー大統領夫妻が、国賓として来日することになっていました。岸内閣は、なんとしてでも大統領同席のもとに、新条約の批准書交換を行いたかったのです。

6月に入ると、デモのスローガンは「アイク訪日阻止」に変化し、米国大使館前でのデモが増えてゆきました。

6月10日、物情騒然とした日本へ、ハガチー大統領新聞係秘書がやって来ました。大統領訪日についての、事前の打合わせがその目的です。しかし彼は、自らの任務を遂行することができませんでした。彼の乗った自動車が、羽田空港出口でデモ隊に取り囲まれてしまったのです。立往生したハガチーの自動車は、デモ隊によって揺さぶられたり、蹴り飛ばされたりしました。デモ隊を制圧してハガチーを救出したのは、日本の警察ではありませんでした。アメリカ海兵隊のヘリコプターが飛来して、彼を救出し米軍立川基地に連れて行ったのです。結局ハガチーは、翌日の夜立川基地から離日したのでした。

この事件後、藤山外相はただちにアメリカ大使館を訪れて、マッカーサー大使に陳謝しました。しかしアメリカ本国では、日本における大統領の身辺警護に対する不安の意見が発表されました。事実警察当局は、連日のデモの規制に疲れきっていて、日に日に大規模に膨れあがっていくデモ隊を持て余していたのです。しかし岸首相には、アイク訪日の方針を変えるつもりなど、まったくありませんでした。彼は警視庁に対して、治安確保を厳命しました。しかし警察には、この時すでにこれ以上の警察官動員力は、なくなっていたのです。

これは決して正史としては語られることのない日本の裏面史ですが、ここで政府と警察は、山口組を主力とした日本中の暴力団から、若い組員を動員して機動隊員の補充をやったのです。この暴力団員動員に暗躍したのが、当時の政界のフィクサーであり、大日本帝国特務機関の亡霊であった児玉誉士夫です。

果して暴力団員動員が、ある女子学生の死の直接の原因となったのかどうか、今となっては知りようもありませんが、誰もが予想もしなかった事態の急変を招いたのは事実です。

6月15日夕刻、国会議事堂裏側では新劇大会議を中心としたほとんどが女性による、デモが行われていました。子供連れの主婦も多数参加していたのです。このデモ隊に、児玉誉士夫配下の維新行動隊がトラックで突入し、泣き叫び逃げ惑う女たちに対して、殴る蹴るの暴行をはたらいたのです。警官隊は、これを黙って傍観していました。そのために警察のトラックと隊列が逃げ道をふさぐ形となり、与太者たちは無抵抗の女たちに暴行の限りを加えたのです。路上には血まみれの負傷者が、累累として横たわる惨状となりました。

この時、全学連主流派のデモ隊は国会南通用門付近で、この知らせを聞いて激しい怒りに燃え上がったのです。彼らは国会突入を叫び、約700人の学生が、警官隊のバリケードを蹴散らして突入しました。警官隊は即座に門を閉ざして学生たちの退路を断ち、警棒をかざしていっせいに襲いかかったのです。そして警官隊は、学生たちを惨々に痛めつけてから排除しました。この警官隊の暴行に、一層の怒りをつのらせた学生たちは、再突入を敢行し警官隊との血まみれの乱闘は、延々として続きました。闇が深まると警官隊は催涙弾を発射し、同時に学生のみならず他のデモ隊、通行人に対してまで襲いかかり、まるで狂ってしまったかのように、無差別に警棒を振るったのです。おびただしい怪我人の山が築かれる中で、東京大学文学部国史学科の女子学生樺美智子が亡くなりました。

6月15日の争乱事件に対して、政府は16日午前零時すぎに異例の臨時閣議を開き、「事件は国際共産主義につながる破壊的行動である」という声明を発表しました。政府は、あくまでも高圧的姿勢で押し通そうとしたのです。しかし樺美智子という女子学生の死がもたらした衝撃は、あまりにも大きなものでした。16日に、石原幹市郎国家公安委員長は、柏村警察庁長官、小倉謙警視総監を同道して、岸首相の説得に赴きました。その結果、同日午後5時30分、岸首相はアイゼンハワー大統領訪日の、延期を発表したのです。延期というのは政府の体面上のレトリックで、事実上の中止、取り止めでした。

6月18日、新条約が自然承認となる前日の夕方には、「岸内閣打倒・国会解散・安保採決不承認・不当弾圧反対」のスローガンを掲げた33万人のデモ隊が、国会周辺を埋め尽くしました。

6月19日午前零時、国会を取り巻いたデモ隊のシュプレヒコールの飛びかう中で、新安保条約が参議院での議決を経ないままに、自然承認となりました。

一方、訪日を阻止されたアイゼンハワー大統領は、韓国に向かう途中に、という名目で6月19日に沖縄に立ち寄りました。このアイク来島を出迎えたのは、沖縄県祖国復帰協議会が組織した2万5000人の請願デモでした。人々は日の丸の小旗を手に、警察と完全武装の海兵隊、合計1万5000人の警備陣と向きあいながらシュプレヒコールを叫びました。

「ヤンキー　ゴー　ホーム」

「リターン　トウ　ジャパン」

デモ隊の熱気はすさまじく、そのためにアイク一行は、太田政作行政主席との会談後、帰路を変更しなければなりませんでした。

このことは、あまりにも当然すぎて、そのためにほとんど語られないのかもしれませんが、40代以前のヤングジェネレーションには、ほとんど認識されていないようなので、ここに安保条約の真相を記します。

日米安全保障条約とは、日本をサンフランシスコ講和条約に換わるアメリカへの、従属と依存の体制に組み込むための条約です。従って日米安全保障条約が持続される限り、日本はアメリカの衛星国であることを、卒業することはありません。安保条約の根底に存在する思想は、日本に対して再軍備を促し徴兵制を復活させて、日本軍をアメリカの世界戦略の中の尖兵として使うことにありました。

この思想は現在では、あまり露骨には語られませんが常に存在し続けています。それは戦後の民主化の過程で制定された新憲法の、理念とは真向から対立する思想です。戦争放棄・戦力不保持を規定した憲法第九条に基づく平和主義とは、それはまったく相入れない思想なのです。従って歴代自民党政権は、憲法を空洞化し日本の軍国化とその復活を、画策し続けてきました。安倍政権が公然と発言していることを、そのレトリックをはぎ取って、ダイレクトに表現すれば、憲法第九条を廃止して、正式に日本軍を持ちたい。徴兵制を復活して男尊女卑の格差社会を作りたい。財界と結託してアメリカの手先となり、侵略戦争をして金儲けをしたい、という意味です。

ジャパン・ハンドラーズのジョセフ・ナイとリチャード・アーミテージが、昨年２０１２年10月27日に早大記念講堂を訪れて、学生たちと討論会を行った時に、徴兵制について言及しています。アーミテージはこの討論会の中で「兵役の義務は望ましい」と答えています。彼のレトリックは次のとおりです。「軍歴のある人間として言えるのは、兵役に限らず、警察や消防など国家奉仕の仕事に義務として従事することは、国民間での平等の確保や連帯意識の醸成、国家に対して尊敬の念を持つといった意味で有効だということだ」

様々のレトリックを用いて、憲法改正・軍国主義の復活を願う勢力と憲法と平和と民主主義を守ろうとする勢力の確執は、戦後間もなく開始され、それは今日に到るまで延々として続いています。現在では、安倍内閣という軍国主義の亡霊が、優勢な状況にあります。

１９６０年の新安保条約は、発効はしたものの、国民的大反対の中での発効であったために、生まれながらにして、すでにボロボロでした。岸内閣のもとで出された憲法調査会答申の改憲論は、その後棚ざらしになり、自民党の歴代首相は、憲法改正を口にすることができなくなったのです。

民衆の意志を明確に示すということは、このように力強いものなのです。今こそなんらかの方法で、平和と民主主義に対する国民の想いを示さなければなりません。安倍内閣によって、すでに歴史が逆行をはじめているからです。

＊　＊　＊

日米安全保障条約を巡る騒乱については、そのディテールに関する情報を、「文庫判　昭和の歴史第9巻　講話から高度成長へ　柴垣和夫　小学館」に求めました。

＊　＊　＊

国民の手によって政治を揺り動かし、大変革をするためには、投票行動のボイコットとゲリラ的パフォーマンスが有効です。これらの行動が国民的支持を得られるならば、未来は劇的に開いて行くことでしょう。

投票行動ボイコット戦術

日本の国会には、自民党とその翼賛政党しか存在しなくなりました。大規模な請願デモを主催する組織は、最早どこにもありません。このような状況下で民意を示す最も簡明な方法は、衆議院と参議院の総選挙に対して全面的な投票ボイコット・棄権をすることです。アメリカと財界の手先として、日々税金泥棒に精を出している政治家にとって、のどから手が出るほど欲しいのは国民の信任です。高い投票率です。それは彼らにとって免罪符となります。公約違反をしようが、重税を課そうが、汚職をやろうが、高い投票率を盾に開き直ることができます。あるいはまた、それは政権を長期に居座らせて、彼らに好き勝手の悪事をやらせる機会を与えてしまいます。従って投票行動ボイコットを、インターネットで、メールで、携帯で呼びかけ合うならば、その時こそ民意が政治を揺り動かすことになるでしょう。衆議院選挙の場合には、投票率が20パーセントを切れば、事実上の政権不信任ですから、誰が政権の座に就こうとも、2年間それを維持することはできないでしょう。せいぜい1年か1年半で解散になります。そのような状況に政治を追い込むことによって、政界の新陳代謝を促進し、財界の側ではなく、勤労者国民の側に立って働こうとする政治家を選ぶ機会を増して行くのです。繰り返します。国政選挙投票行動全面ボイコットこそが、投票率20パーセント以下の引き下げこそが、政界刷新の第1歩です。

冒頭で、すべての政党が自民党の翼賛政党に成り下がってしまったと記しました。共産党だけは別格ではないのかという意見は、相当数あるだろうと思います。かつては、どこへ投票したら良いのかわからない批判票は、とり敢ず共産党に入れてしまえ、という時代がありました。保守政党は共産党の躍進を脅威として受け止めたので、それなりの批判の効果があったのです。今や共産党も、体制側の翼賛政党にすぎません。その理由は、裁判員制度推進を共産党が打ち出して来たからです。２００４年5月22日の「しんぶん赤旗」で、「同制度は司法への主権者である国民の参加を実現し、国民の生活体験と常識を刑事裁判に反映させることで公正な裁判への道を開くものとして、画期的な意義を持っています」と述べています。よもや共産党がこんな世迷い事を公言しようとは、私は夢にも思いませんでした。裁判員制度については、すでに本書の中で論評しましたので、ご参照下さい。おそらくこれは、共産党がアメリカに対して発信した全面降伏のサインだろうと私は思っています。彼らは、すでに消滅してしまった日本社会党の轍を踏むまいとして、党としての自己保存、組織防衛に走ってしまったのであろうと考える以外にありません。

社民党について敢て言うならば、あれは日本社会党の正統な後継政党ではありません。社会党のかつての人気を利用した消え去りつつある個人政党です。日本社会党は延々として続けた不毛のイデオロギー論争の果てに、すっかり腐りきってしまいました。その頃の党内には、自民党と内通してアメをもらっていた大幹部さえいる始末でした。そして自民党の謀略に乗せられて、一朝の甘い夢と引き換えに、国民から見離されると同時に消滅してしまったのです。日本社会党の後継政党などというものは、どこにも存在しないのです。

投票を意図的にしないということで、政治を揺さぶるのは非常に簡明な方法ですが、極端すぎて付いて行けない、投票はするべきだ、しかし誰を選ぶべきかわからない、という場合には、絶対に投票すべきでない政治家についての指針があります。それは、まず第1に日本以外の国の利益誘導のために、働こうとする政治家を選んではいけないということです。宗主国アメリカの手先として日本の政治を動かそうとする政治家と、そのグループに属する人々は、日本の政界から退場させるべきです。彼らについては、本書においてすでに説明しました。ご参照下さい。アメリカ以外にも、中国・韓国・北朝鮮の立場に立って日本の政治を歪めている政治家がいます。ある政治家の言動にヘンな所があると怪しんだ時には、インターネットで検索してご覧なさい。その事それ自体を問題にするつもりはありませんが、その言動を生むに到るべきその人物の、意味深長なルーツを発見することでしょう。

次に選ぶべきでないのは、靖国神社参拝に意欲を燃やす政治家です。彼らは天皇制に憧れを抱く民族主義者のように見えますが、まったく違うのです。彼らは単に愛国者ぶったポーズをして、戦没者遺族会という票田に秋波を送ったり、虚勢を張ったりしているにすぎません。そしてそのことが、かつて大日本帝国が侵略したアジア諸国との外交関係を、損ねているのです。卑しくも政治家である以上は、第2次世界大戦における日本の戦争責任について、なんらかの総括がなされていなければならないはずです。彼らが天皇を国民精神の柱として位置付けているのであれば、天皇に対する戦争責任という形で総括すべきなのです。しかし彼らには、何もありません。カラッポです。

天皇が靖国神社に足を運ぶことがないのは、亡くなった昭和天皇が、そして天皇家が、東京裁判において戦犯として処刑された将軍たちに対して、本気で腹を立てていた、お怒りになっていたからだと私は思います。なぜならば、彼らこそが北はカラフトから南はパラオまでを領有し、世界の一等国として列強の一翼を担っていた大日本帝国を破綻崩壊させ、天皇の臣民200万人に非業の死をとげさせた張本人たちだからです。冷静に考えるなら、世界最強の海軍を擁するアメリカと世界最大の陸軍を擁するソ連と世界最大の人口を誇る中国と、そしてヨーロッパ先進諸国の大半を相手にして、戦争に勝てる道理がありません。しかも戦略物資である石油や鉄の輸入先は、アメリカだったのです。本来であれば、日本人自身の手によって、彼らは敗戦とそこに到るまでの戦争責任を、追求されなければなりませんでした。しかし当時の日本には、自らの手でそうするだけの能力はありませんでした。そして東京裁判には、敗者日本に対する勝者の報復という要素が、多分に含まれていたのです。このことが、天皇に対しての戦犯でもある人々を、殉難者英霊として祭り上げる口実にされてしまったのです。つまり靖国賛美とは、敗戦の責任を未来永劫に認めまいとした主戦論者たちの、今日に到るまでの妄執の産物なのです。従って、そこにコミットして愛国者ぶったポーズを取りたがる人たちは、本来ならば天皇とその臣民に対する戦犯でありながら、英霊として靖国に祭られた人々の直系の子孫であるか、さもなければ単なるバカだと私は思っています。

なお天皇が、お怒りになっていたに違いないという推測の根拠として、戦争末期に語られた荒木定夫陸軍大将の言葉を記します。これはなぜか、正史に表われることはありませんが事実です。

昭和17年4月、ドウ・リットル中佐指揮の双発爆撃隊が飛来して、赤羽工兵隊付近を爆撃しました。被害そのものは軽微でしたが、近い将来に必ず帝都は連日の爆撃にさらされるようになる、という危機意識を持った人々がいました。尾崎行雄、中野正剛、安藤正純、吉田　茂、鳩山一郎、斉藤隆夫、大野伴睦、河野　密、菊地養之輔、正木　清、三宅正一、水谷長三郎、鈴木正吾、高田良平、荒居庄三郎、生田茂、中島十一郎などでした。彼らは東条内閣の戦争拡大方針に反対していた数少ない政治家と政界関係者でした。この人々は、連合軍との早期講和、戦争終結を望んでいました。なぜならば、日本軍の敗北はすでに明白であり、この事実を認めずに戦争を継続すれば、大日本帝国の破滅は必至と考えていたからです。

この中で政友会の安藤正純議員は、他に先がけて昭和16年の末に、「まず初めに軍部の注目を避けるため、時局に対する協力団体を作り、それを隠れみのとして、講和促進運動を始めよう」という提案を秘密裡に行いました。この提案を受けて、しかるべき団体をでっちあげ、趣意書と講和促進賛成者名簿を作り、活動を開始したのが、昭和18年の12月でした。実動隊の中心になったのが、院外団の主魁、高田良平でした。この団体の会員として連記署名したのが、安藤正純、荒居庄三郎、生田　茂、中島十一郎、高田良平でした。彼らは枢密顧問官をはじめとする天皇の重臣を訪問して、早期講和に対して賛成してもらい、その上で多数の重臣の一致した意見としてこれを上奏し、このことによって天皇の聖断を促そうというものでした。

最初に訪れた小笠原長生子爵は、連盟籍に署名すると共に、自ら同会の会長に就任したのです。このようにして彼らは、元総理大臣で枢密顧問の若槻礼次郎を皮切りに、次々と名士、重要人物を訪れて賛意を得てゆきます。この大東亜戦争早期終結運動は、開始からわずか一ヵ月ほどで憲兵隊によって潰されてしまうのですが、この運動に賛意を表した名士の中に、意外な人物が2人いたのです。現代では、戦前における好戦主義の代表格と思われている人物です。一人は右翼団体の総師頭山満と、もう一人は皇道派として知られる荒木貞夫陸軍大将でした。以下は安藤正純代議士とその秘書の小谷良夫、そして高田良平の3人が荒木大将の私邸を訪れた時に、大将が語った言葉です。

この時荒木大将は、東条英機の政策に反対したために軍の大幹部でありながら、軍の中枢部から敬遠されて北多摩に所在する私邸に引きこもっていたのでした。ここで高田良平は荒木大将に対して、きわめて率直な質問をしました。

「鉄、石油、綿糸、毛、等の戦争継続のための重要物資は、すべて交戦国より輸入しておりました関係上、輸入途絶の結果として、それらの物資の欠乏は今やいかんとも為し難い状況となっております。政府はこの対応策として、鉄の欠乏に対しては古鉄の回収はもとより、寺院の梵鐘に橋塔、果ては蚊帳の釣手に到るまで掻き集めて役立てようとしております。あるいは石油の不足に対しては、松の根を掘り出してその油を絞ってしのごうとしております。しかしそんな有様で、果して戦争が継続できるものでしょうか。閣下はこの戦争の見通しを、どのようにお考えでしょうか」

これに対して、荒木貞夫陸軍大将は次のように答えています。

「この荒木は、諸君もご承知の事と思うが、東条英機の政策と戦争拡大には、当初より絶対反対であったのです。東条をはじめとする急進派将校は、結束して我ら穏健派の意見を無視して容れず、ドイツ・イタリアの戦力を過大評価して日独伊の軍事同盟を結び、ますます戦争を拡大したのであるが、現在の戦況に於ては、我が日本は容易ならざる最終段階に来ていると見なければならない。我が国は明治天皇以来、世界の一等国に列したのであるが、国力の増大は戦争のみによって達成できるものではなく、戦争によって得たる領土は必ずや戦争によって失うものと、覚悟しなければならない。東条以下の急進派将校の暴走を抑えることができずに、帝国をして遂に斯くの如き窮地に陥らしめたる事は、誠に明治天皇陛下に対し奉り、申し訳なき次第であります」

私が靖国参拝大好き議員たちを、全員落選させてしまうべきだとする論拠は以上のとおりです。おそらく皇室も、荒木大将と同様の認識を持っていたと思われるからです。その証拠に、軍の過激派を抑えて戦争終結の聖断を下したのは、昭和天皇ご自身だったからです。

次に絶対に投票すべきではない議員の類型として「パフォーマンス政治家」をあげます。彼らは自分を愛国者に見せるために、無責任きわまるパフォーマンスをやります。それが一般受けするような巧みなものであれば、しばしば有権者に、その政治家のリーダーシップとして錯覚させるのです。パフォーマンスという言葉は軽薄な表現ですが、その行為のいかがわしさと、結果に対する無責任においてまさにぴったりなのです。

個人攻撃をするつもりはまったくないのですが、「パフォーマンス政治家」のやった政治行動とその結果の重大さと、その後の無責任きわまる行動において、まさに選んではいけない政治家の見本としてこれ以上の人物と事件はないことから、実名をあげて説明します。

最近になって中国が、尖閣諸島の領有権を主張して周辺の海域で、過激なデモンストレーションをはじめました。尖閣諸島がクローズアップされるようになったのは、この付近の海底に石油か天然ガスが大量に存在すると考えられるように、なってからです。国際法上、尖閣諸島の領有権は日本にあるとするのが正論です。しかし中国には中国独自の理屈があって、領有権の主張をしているのです。それを中国一流のへ理屈として一蹴するのは簡単ですが、それではなんの解決にもならないのです。なぜならば国家という存在は、ひとたびこれは自分のものだと主張した以上は、一歩も引くことができないからです。それは世界中どの国も同じです。まして中国はイスラエルと並んで、21世紀の現在もなお領土拡大という前時代の帝国主義政策を取り続けている、きわめて度し難い国家なのです。だからこそ国家間の無用の軋轢を避けるための、外交努力が大切になるのです。こんなことは政治家の常識で、石原慎太郎も百も承知のはずなのです。しかし中国の領有権主張に対して、東京都知事石原慎太郎は島の所有権者である個人から、都が島を買い上げて、ここに恒久的な施設を建設して日本の実効支配を確立し、それを中国に見せつけることで応じようとしました。これは石原慎太郎一流のパフォーマンスで、確かに拍手喝采の大向こう受けをしたのは事実です。十数億円もの島の買い取り費用が日本全国から集まったのですから、非常に多くの人々が愛国的な気持ちから石原の政治行動を支持して、うっ積した胸の溜飲を下げたことでしょう。「中国め、ざまあ見ろ」とでも言うような気分でしょうか。しかし、そんな事で引き下がるような中国ではありません。それは石原自身が十分に知っているはずなのです。

「これは危い。石原の好きにやらせておけば、戦争になりかねない」という危機感をつのらせたのが、野田政権でした。そこで尖閣諸島の所有権者から、東京都に換って国が買い上げたのです。これは正しい政治判断でした。おそらく、現実になんらかの建設工事に都が着手したならば、中国はためらうことなく、これを爆撃したであろうと思われます。その時には、スクランブル発進した自衛隊の戦闘機との間で空中戦になるのは避け難く、それが日中戦争の引き金になってしまったら、その後のことは、何がどうなるのか誰にもわからないことになってしまいます。

昨秋、２０１２年にジョセフ・ナイとリチャード・アーミテージが日本を訪れて、早大大隈記念講堂において学生たちと意見交換をした時に、彼らは尖閣問題について次のような発言を残して行きました。

「尖閣諸島を巡る問題でも、火に油を注ぐようなことはしないことだ。この問題は短期的解決が難しい」

リチャード・アーミテージ

「英エコノミスト誌は日本は尖閣諸島の領有権を主張すると同時に、一帯を海洋保護区にしてみてはどうかと報じた。ソフトパワーを含む新しい知恵を使う時期に来ている」ジョセフ・ナイ

要するに領土問題で紛争を起したくなければ、棚上げにしておくより他にない、というのが世界の常識なのです。アーミテージとナイは、現実的で正しい見解を示して行きました。アメリカの政界関係者

は、誰もみな大悪党ですが、国際政治における現実のなんたるかを心得た親人です。彼らに比べると日本の政治家は大部分が、ねんねの坊やか、タフガイを気取った目立ちたがりのお兄さんみたいなものです。これではいつまで経っても、アメリカの軛(くびき)をはずすことなどできないでしょう。

東京都に換って国が直接の所有権者となって、事態を収拾しようとしたのは妥当な行為でした。しかし中国は振り上げた拳をかざしたまま、硬化した態度を変えようとはしていません。彼らとしても拳の降ろし方が難しいのかもしれませんが、ともかく日中関係が大幅に後退してしまったことは事実です。この間石原慎太郎は、都知事を辞職して衆議院議員への鞍替えをしました。そして尖閣問題は、彼の周辺から消えてなくなってしまったのです。これ以上に無責任なパフォーマンスを私は知りません。尖閣という火種に油を注いでおいて、いよいよ燃え上がってきたら、敵前逃亡をしてしまったというようなものでした。この種の無責任な政治家を「パフォーマンス政治家」と命名するゆえんです。彼らのパフォーマンスには、充分の注意が必要です。

最後に憲法改正を実現しようとして行動している議員は、全員落選させてしまわなくてはなりません。確かに改憲論者の言うとおり、日本国憲法は老朽化しつつあって、見直すべき点が出てきたのは事実です。しかし２０１３年の今、それをやってはならないのです。憲法改正論者たちのホンネは、第九条を撤廃して自衛隊を軍隊として位置付け、アメリカといっしょになって侵略戦争をしたいのです。それは積年にわたるアメリカの意向に沿うことでもあり、戦争によるボロ儲けを期待する財界とも結託して、うまい汁を吸うことにもなります。

中国も北朝鮮も危険なパフォーマンスをやっています。東アジア状勢は、かなりきな臭くなってきましたが、この状況に動揺して憲法改正、そして侵略戦争への道に踏み込むようなことがあってはなりません。そんなことになったら、日本はひと握りのスーパーリッチの支配する、失業者と貧乏人のあふれる格差社会になり果ててしまうでしょう。それは「アイアンマウンテンからの報告」そのままに「軍隊とは社会福祉政策の一形態であり、戦争は社会と経済にとって好ましい行為である」ということになってしまいます。

憲法改正論者イコール戦争の犬たちなのです。

フラッシュ・デモ・パフォーマンス

世界を変革し未来を開くためには、日本中に撒き散らされている「権力のうそ」を、インターネットで、あるいは口コミで知らせ合うことが、第1歩になります。次にネットの世界から外へ出て、街頭での行動に赴かなくてはなりません。この行動こそが、民衆の声を政界へ社会全体へと轟かせるのです。

とは言え大規模デモの時代は、すでに終わりました。そこで、それに換るソフトパワーを提案します。

フラッシュ・モブを知っていますか。最近アメリカで始まった罪のないイタズラみたいなものです。ある日ニューヨーク空港のロビーに、突然50人ほどの楽器を手にした人々が現われました。彼らはひとしきり演奏すると現われた時と同じように、忽然として姿を消してしまいました。これがフラッシュ・モブの始まりのようです。その後大流行はしていませんが、学生たちがネットを使って仲間を集め、時と所を選ばずに突如出現して意味ありげな、あるいは意味不明な何事かを語りかけたり叫んだりして、そしてふいに散会してその場に居る人たちを驚きあきれさせて、楽しんでいるのだそうです。この行為には政治的な意味もメッセージも、まったく含まれていないのが特徴らしく、ネット時代のいたずらとして受け止められている模様です。

社会を変革するためには、政治を変革しなければなりません。そのためには、市民として多くの人々が声をあげる必要があります。しかし現在の日本には政府の暴走を抑止する政党も、大衆行動としての大規模な請願デモを組織するべき、政治意識を持った労働組合もありません。従って政府が選挙時の公約を破って、どんな好き勝手な行動にでても、これに対して抗議の声をあげる手段がありません。かつてハガチーを追い返し、アイクの訪日を阻止したような、明瞭で先鋭な国民的意志表示をすることができなくなってしまったのです。

俗に言う日本の息苦しさ、閉塞状況の原因はここにあります。あがるべき叫びも、語られるべき声も聞こえません。そして誰に対して、どこに向かってうっ積した思いをぶつけるべきなのかも、判然としないのです。まるで真綿で首を締めるように、政官財マスコミは国民の富と幸福をじわじわと奪っています。今こそ声をあげなければ、あげるべき声さえ失われて行ってしまうでしょう。そこで私は、神出鬼没のフラッシュ・モブに着目しました。これに政治的メッセージや、日頃からの政府と役人と社会に対する憤懣を乗せて、自分の都合のよい時に、都合のよい場所で、叫び、語り、パフォーマンスするのです。これは、たった一人でもできるデモンストレーションです。言わばゲリラ的デモであり、大規模デモのように警察当局とは一切のかかわりがありません。気がむいた時に、いつでもどこでも実行できるのが特徴です。例えば一団の通行人が突然アメリカ大使館前で立ち止まり「9・11多発テロ事件は、アメリカ政府の自作自演です。アメリカ政府はうそつきだ。うそつきの人殺しーッ」と叫んでから、何食わぬ顔で立ち去ってしまったとしたら、そしてこのパフォーマンスが毎日のように、あるいは一日に何回も、顔ぶれを変えて行われたとしたら、アメリカは動揺するだろうと思います。だからと言って、この行為は治安当局の取締りの対象にはなりません。あるいは、いきなり始めずに「フラッシュ・デモ、スタート」と言って開始し「フラッシュ、オーバー」と言ってから立ち去って行くやり方もあります。

人間には誰でも、自己表現をしたいという欲求があります。意外なほど多くの人々が、まるで演劇本能という先天的な本能があるかのように、非日常的な行為として何かを演じたい、思いの限りを訴えたい、と思っています。フラッシュ・デモ・パフォーマンスに対して、最初は気まりが悪いとか恥ずかしいとか思うかもしれませんが、ひとたび始めてしまえばすっかりハマってしまい、病みつきになる人たちも出て来るに違いありません。なぜならば、このパフォーマンスはかつて寺山修司という天才が行った、アングラ芝居と同じ精神と感性が、必然的に引き出されることになるからです。次に幾つかのサンプルを記します。

——原発反対のパフォーマンス

①主に若い女性たちのパフォーマンス。

場所は公園・駅構内・電力会社門前などで、通行の邪魔にならない所を選びます。東芝、日立、三菱重工、ゼネコン5社の門前でやれば抗議の意味が強調されます。これらの会社が原発でボロ儲けをしています。

「フラッシュ・スタート・みなさん原子力発電を止めましょう。原発は私たちの未来を奪います。私たちは健やかな赤ちゃんがほしい。健康な赤ちゃんを生ませて下さい。原発は子供たちを病気にします。奇形の赤ちゃんを作ります。原発は赤ちゃん殺しです。キャーッ。原発をやめて、やめて、政府は赤ちゃん殺しです。政府は人殺しをやめなさい。赤ちゃんを助けてーッ。フラッシュ・オーバー」

……人目を引くように天を仰いで絶叫したり、口々にワーワーやる。多人数ならば、即興的な踊りやムーンウォーカーなどを織り込みます。

②主に男性の場合、場所はどこでも可。

「フラッシュ・スタート・原発再稼働に反対します。六ヶ所再処理工場が本格稼働したら、かならず放射能雲発生の日がやってきます。恐怖の殺人雲、放射能雲がやってきたら、みなさーん、誰も彼もみな殺しになりますよー。ワーワーワー。恐怖の放射能雲を作るなー。六ヶ所工場を廃止しよう。原発再稼働絶対反対。政府は大量殺人をするなッ。フラッシュ・オーバー」

散会

……この場合は、ラップのセンスでもやれそうですし、叫びに合わせてディスコダンス風のパフォーマンスもありそうです。

――9・11同時多発テロの真相暴露、パフォーマンス――

英語の発音がネイティブ並みならば、英語でやればより効果的です。米軍基地やアメリカ大使館の付近でやります。沖縄で全島をあげてこれをやり続ければ、きっとアメリカは揺らぎはじめるでしょう。

なんと言っても、この国家犯罪こそがアメリカのアキレス腱なのですから。

「9・11同時多発テロ事件は、アメリカ政府の自作自演です。アメリカの一般市民のみなさん。兵士のみなさん。9・11テロ事件は、アメリカ政府の自作自演ですよー。永久に戦争を続けるための口実作りに、やりました。戦争をやめましょう。9・11テロ事件は、アメリカ政府の自作自演です。もう人殺しをやめて下さい。アメリカ政府はうそつきだ。うそつきだー。9・11はアメリカ政府の自作自演です。フラッシュ・オーバー」　散会
（注）　場所に注意さえすれば、なんら法律を犯しているわけではありませんから、どこからも文句を言われる筋合いはありません。しかし、かつて薬莢(きょう)拾いで生計を立てていた基地周辺に居住していた老婦人が、米兵に射殺されるという事件がありました。周囲の様子に注意を払うことは大切です。ヤバッと思ったら、すぐにフラッシュ・オーバーにすることです。

――地球温暖化のウソを暴露するパフォーマンス――


ＮＨＫ、民放ＴＶ局、気象庁、環境省前などが効果的です。

「フラッシュ・スタート・うそ、うそ、うそだァー。地球温暖化のうそつきめー。地球は寒冷化に入ったぞー。どんどん寒くなって氷河期になるぞー。うそ、うそ、うその放送局、ＮＨＫは料金を返せ。環境省

は税金ドロボーだァー。うそつき、ドロボーッ。フラッシュ・オーバー」

——尖閣諸島問題解決のためのパフォーマンス——

中国大使館前でやれば効果的です。中国は反中的パフォーマンスには、特に敏感です。

「中国政府は帝国主義をやめよう。鎖土拡大政策なんて頭が古いぞー。古すぎるぞー。中国政府はヤバンだ。日本の政府はアホーだ。だから、尖閣問題は棚上げにしよう。中国のヤバンと日本のアホーが、なおってから話し合いましょう。棚上げ、棚上げ、棚上げでーす。戦争ハンターイ。世界平和バンザーイ。日中友好バンザーイ。フラッシュ・オーバー」

——うっぷん晴しのパフォーマンス——

人それぞれに様々のうっぷんがあるでしょう。口に出すべきものは口にして、民衆の声として轟かせましょう。最後に政治家と役人は全員クビという言葉で締めくくって、パフォーマンスを引き締めます。

「マジメにやっているんだぞー。会社は勝手にクビにするなァーッ。勤労者は人間だア。使い捨ての労働力なんかじゃないんだゾー。バカヤローッ。政治家、役人、強欲社長のクズヤロー。政治家全員不信任。国政選挙投票ボイコット。全員クビにしてしまえー。フラッシュ・オーバー」

かつて中選挙区時代には、立ち会い演説会という制度がありました。立候補者たちは、そこで自らの政見を訴えるのですが、会場にはそれぞれの陣営の支持者、応援団が大挙して詰めかけたものでした。その熱気は大変なもので、敵の弱点や欠点を突いた相当にガラの悪い野次の応酬が為されたものです。時には血気にはやった応援団同士で、殴り合いの喧嘩になることさえもありました。政治と選挙には、このくらいの熱気がなければ、偽善とお体裁のセレモニーに成り下がってしまいます。現在では野次を飛ばす場所と機会がほとんどありませんが、それでもエライ先生方が公報車に乗って遊説に来た時はチャンスです。思い切り野次を飛ばしてやりましょう。

普段は悪事もやれば淫行も人一倍というセンセイ方に、遊説の時ばかり体裁のいいことを言われてもシラケルばかりです。野次は政治家を丸裸にして、笑い者にするための強力な武器であり、庶民のホンネの発露です。機会を捕えてやってみましょう。

フラッシュ・デモ・パフォーマンスと野次をもって政治に立ち向う時、人は誰でも力と勇気が湧き上がって来ることを、自覚するに違いありません。

＊　＊　＊

＊　＊　＊

新たなる文明を開く

人類の物質文明は、驚異の進歩を遂げました。しかし精神文明は、その根幹において腐ってしまったのです。

第1次と第2次世界大戦という世界中での殺し合いの経験から、人類は軍縮不戦、恒久の平和、国際協調の大切さを学び、平和を前提とした新世界を作る方向へと進んで行くはずでした。しかし現実はアベコベです。

文明を退化させ続けているビルダーバーグと、金融資本による超権力についてはすでに述べました。彼らを生み出したのは、しかしわれわれの生存するこの文明世界です。もしも人類がその本質において、生まれながらの人殺しであり、殺し屋であり、強欲で強奪こそが先天的な本能なのだとすれば、物質文明の発達によって得たすべてのパワーを集中して、最終戦争へ向かって暴走して行くのは、むしろ当然のことかもしれません。

近代に入って国民国家というシステムが生まれ、政府という支配と統治の機構が作られました。政府の本質は冷酷で残虐です。なぜならば、すべては戦争に適応して生まれたシステムだからです。これと同時に中央銀行という、金融システムを基盤とした近代経済が生まれました。これは人類の生活を豊かにするために、作り出されたものではありませんでした。帝国間の戦費の調達と、戦争当事国双方への融資によって発達したシステムです。従って近代経済の本質は強奪と独占、利潤のあくなき追求です。現代文明を構成する二大要素である政治と経済の本質は、ひと言で表現すれば、残虐と強欲です。事実３０００人もの自国民を虐殺して、架空の犯人をでっちあげ、無実のイラクをならず者国家と言いたてて侵略し２００万人もの人命を奪い、そして油田を強奪したアメリカとＮＡＴＯ軍の行為は、まさに残虐政治と強欲経済が合体した21世紀文明の悪の栄え、悪の華そのものでした。

このような政治と経済の在り方を俯瞰すると、人類の未来には最早やなんの希望もないように思われてきます。しかし世界中の大多数の普通の人々は、誰も人殺しや強奪や戦争なぞ望みません。人間とは友好的で親切で穏やかな存在なのです。それが人間本来の性質であり、世界の民衆の心です。そのことを極限状況の中で示したエピソードを記します。

日中戦争が終わり、中国に居留していた日本の民間人が、ソ連軍の目を逃がれ盗賊の襲撃や中国人からの報復におびえながら、命からがら帰国した時に、それは中国民衆のやさしさとして示されました。すべてを失って食糧さえも満足にはなく、飢えと戦いながら、ただひたすらに祖国日本への帰還を目ざした人々の中には、幼い子供たちを抱えた数多くの母親がいました。子供には苛酷すぎる悲惨な逃避行でした。どれほど多くの人々が、中国の原野に飢えと疲労と病いとで、その屍をさらしたことだったでしょうか。首尾よく日本への帰還を果すべく、輸送船に乗船できた人々でも、船内で力尽きて亡くなった人々も多数いましたし、舞鶴港では衰弱のために、縄梯子をつたって下船する力がすでになく、落下して亡くなった人々もいたのです。このような極限状態の中で、中国人にその命を預けられて中国人の養父母によって育てられた子供たちが、後に中国残留孤児と呼ばれた人々です。彼らを育てた養父母の多くは、子供の素姓を隠さなければなりませんでした。当時の中国では日本軍と日本人を東洋鬼と呼んで、恐れ憎んでいましたから、その子供たちを養育する苦労は並大抵のことではなかったでしょう。しかし彼ら、中国の貧しい民衆は、愛情を注いで東洋鬼の子供たちを育てたのです。

これこそが人間本来の心であり、人間の内なる神性の発露だと私は思うのです。世界中の民衆は、すべて同じ「純なる心」を秘めているに違いないのです。誰もが家族の無事と幸福を願いながら、つつましく暮らしています。このような普通の人々が、戦争を望むことは決してありません。しかし戦争が始まれば、まっ先に犠牲になるのは民衆です。戦争を起すのは、政官財の権力者たちです。

政府は戦争をやりたくて、その下準備に余念がありません。日本中の人々が反対しているのに、なし崩しに原発をフル稼働させようと画策しています。政府は民意を裏切り、踏みにじるようなことばかりをやっています。つまり民主主義は、すでに民意を反映できなくなっているのです。

先進諸国の政治と経済は、完全に国際金融資本に従属し、その結果あとは自爆する以外になくなってしまったように見えます。この現象は文明が病んでしまったことの症状として理解するべきことだと、私は考えます。堕落のシステムとしての残虐政治と強欲経済が、ここまで肥大し民衆を支配下に組み込んでしまった以上は、政治に対して政治的改革行動を、経済に対して経済改革運動を起したとしても、それは徒労に終るだろうと思うのです。「一波をもって一波を消さんと欲す。千波万浪こもごも起る」というように、事態を複雑にしてしまうのが関の山でしょう。

文明を進展させようとする意志、あるいは本来あるべき姿に帰そうとする思想をもって事に当るならば、一見同じような行動をしているようでも、その結果には大きな違いが現われるはずです。なぜならば「文明を本来あるべき姿に戻したい」とする立場には、権力に連らなる何ものも存在しないからです。無私無欲の純粋な欲求としてのエランヴァイタールの躍動のままに、生命力の発露としての行動が現われるからです。先に述べたフラッシュ・デモ・パフォーマンスは、卑俗な行為のように見えますが、その本質は民衆の真意を表現しつつ、より高次限の文明世界を開くための、日常レベルでの行動なのです。

２０００年の昔に、世界各地に文明が生まれるとすぐに、聖者と呼ばれる人々が出現しました。キリストは神の愛を、釈迦は仏の慈悲を語りました。古代の人々はその言葉に耳を傾けて、これらの聖者の教えを人生の道標として、暗夜を照らす光明として、帰依したのです。もしも文明が平和を基調として、順調に発展をすることができたならば、２０００年後の世界は、現在われわれが生存している世界とは、まったく別のものになっていたことでしょう。

もしも今のわれわれの文明世界そのものが、病気なのだとすれば、本来の健康状態に立ち帰ろうとする回復力を示すはずです。事実その徴候が社会現象として、あるいは思想上のニューウェーブとして散見されるのです。そのひとつに「動物権運動」があります。それは人間だけではなく、動物に対しても道徳的義務を向けようというもので、自然環境保護運動と連動して、欧米では社会的に大きな勢力となっています。その思想の根本にあるものは、自然と人間と同じレベルに存在するものとしての認識です。これは全知全能の神に似せて作られた人間が、自然と動物を自由に支配できるとしたキリスト教の思想とは相反する思想です。欧米の社会は、今や脱キリスト教文明の段階に入りつつあるのです。キリスト教に限らずすべての宗教は、組織化され巨大化するにつれて堕落を始めます。神の愛を説いたキリストの教えとは裏腹に、一神教特有の独善に堕したキリスト教は、ヨーロッパにおける帝国主義的世界侵略のバックボーンに、なり果ててしまいました。宗教の堕落は仏教も同じで、日本では葬儀屋商売の一形態としての寺と坊主がいるにすぎません。

退廃し衰弱しつつあった精神世界に、思想と感性のニューウェーブが誕生しました。そこから、反捕鯨団体シー・シェパードのような過激な活動が生まれ、あるいはクロマグロの取引全面禁止を求める声が高まり、動物実験を行う医薬品会社に対する脅迫事件が起ったりもしています。それは日本のイルカ漁に対する欧米からの、激しい非難として表わされてもいるのです。日本では年間２００万匹もの犬と猫が、保健所で殺処分されています。それは社会と飼主の堕落をそのままに映し出した現象です。しかしその一方で、これらの犬や猫たちを、一匹でも救おうとして犬猫の里親運動に、生涯を捧げ尽くしている人たちもいるのです。

動物の命を限りなく大切に思う精神は、畜産業の生産物である牛や豚、そして鶏にも向けられます。そこにあるものは、命も感情もある動物に対して、単なる製品として飼育し、ベルトコンベアーシステムで屠殺し、肉として消費していることに対する疑問と嫌悪の自覚です。生きること、食うこと、殺すことが、一連のつながりを失った現代文明の偽善を、その中で動物愛護や自然保護を訴えることを、むしろスキャンダラスな行為として捕らえる感性が、ニューウェーブとして登場してきたのです。ここには新しい文明世界を開くべき、人間本来の心の躍動があります。

おそらく現代のテクノロジーは、人間が生存するために必要な「食」について、動物を殺してその肉を奪うという行為を、すでに不用にできる水準にあるのだと、私は考えています。現在では、蛋白・ビタミン・ミネラルの合成ばかりではなく、アンチ・オキシゲン作用（癌発生予防・老化を遅らせる作用）

を有する各種化学物質の製造から、単なるうま味成分と考えられていた化学物質の、脳に対する活性化作用（痴呆の改善）に到るまで、すでに解明されています。また摂食と快楽の関係についても、エンドルフィンなどの脳内麻薬発生作用に関しての、研究が進められています。摂食という行為は、単なる食欲と味覚だけから成り立っているような、単純なものではない、という所まで科学は進歩しているのです。これらの技術を総合すれば、トウモロコシ・米・麦・大豆などを主原料として「肉」に換わるべき、それ以上の製品すなわち、プティンスコアを１００として、それに牛肉以上のエンドルフィン誘発作用を持ち、しかも魚肉の健康成分であるＤＰＡ・ＤＨＡを含んだ超ヘルシー蛋白質を合成することは、すでに可能なはずです。それを原材料として、味覚に関する科学知識を応用すれば、ここから各種食材を製造することが、充分に可能です。そして、このような試みから、まったく新しい食文化と産業が誕生してくれるならば、それは来たるべきより高次の、文明世界を開く大きな第1歩となるでしょう。この技術と産業が実用化すれば、なによりも全世界の食糧事情を一気に解決してしまいます。牛や豚を肥育するためには、大量の穀類を飼料として与えなくてはなりません。一片の肉を生産するためのエネルギー効率は、非常に悪いのです。穀類を効率的に蛋白原料に変換し、しかも健康維持のための理想的な原材料として生産できるならば、食糧不足による飢餓を解消し、先進諸国での不健康な食習慣に由来する生活習慣病なども、劇的に改善されるに違いありません。

文明は今、本来あるべき姿に還ろうとして、身もだえているのかもしれません。あるいは、より高次元の神への道へと通じるべき新文明を宿して、その胎動をわれわれに伝えようとしているのかもしれません。

残虐で強欲な旧勢力と平和で清新な民衆の想いとが、せめぎ合い渦巻いているのが、現代の状況であり病理でもあります。これを具体的な症例として顕在化させているのが「学校」です。

うつ病などの精神疾患で休職している公立小中高校の教員は、この5年間で毎年5０００人以上に昇ります。この内の70パーセントが40代〜50代の働き盛りの世代です。そして免職などの重い懲戒処分を受けた教員も、毎年８００人以上にもなります。生徒同士のいじめや、教師による体罰暴行事件もあとを断ちません。学校に原因する子供たちの自殺事件も、珍らしいことではなくなりました。非常に大きな構造的な矛盾が、学校というシステムを圧迫し、その中にいる生徒と教員に対して強いストレスを加えているのは明白です。

明治時代に学校制度が作られて以来、学校とはその時代の国策に従うべき国民を作り出す機関でした。その時代において、学校で教えたことが生徒個人の人生を豊かにして、そこに幸せをもたらすものであれば、それは教育です。しかし幸不幸にかかわらず、教育として注ぎ込まれた教えに盲従するだけの人間を作り出すのが目的ならば、それは洗脳です。戦前の教育は、軍国主義を叩き込むことが学校教育の使命でした。男の子に対しては、帝国軍人として天皇のため国のため、自らの命など鳥の羽毛よりも軽いものと見なして、いざとなれば「散兵線の花と散れ」、すなわち突撃命令が下れば敵陣に突進して、いさぎよく死ねと教えました。そして女の子に対しては、良妻賢母として銃後を守り、でき得る限りたくさんの子供を生みなさいと、教え込んだのです。なぜならば、敵陣めがけて突撃し機関銃に撃たれてバタバタと戦死する兵隊の補充のためには、次から次へと子供を生ませなければならなかったからです。戦前の軍国主義教育とは、洗脳そのものでした。

　戦後、民主国家日本として再出発した当初は、教育とは全人教育であるとか、民主的な男女平等社会を担うべき人間の育成であるとか、いうようなことが、言われた時期もあったようです。しかし、それを教える側の人間は敗戦になるその日まで、軍国社会に生まれ育った人間であり、民主主義のなんたるか男女平等社会とはどのようなものか、実際には何も知らなかったのです。戦争はもう懲り懲り（こご）りだというのが、当時の国民感情だったのは間違いありませんが、直ちに民主主義の社会が出現したわけではありませんでした。現在のわれわれが持っている民主主義に対する思想、感覚、信頼感などは、新憲法という大枠の中での戦後70年近い平和と、物質的繁栄によって、徐々に時代の進歩と共に自然に、身に付けてきたものなのです。従って大衆社会とは別世界の存在である官僚機構を動かしてきた動力は、決して民主化されることはなく、単に「富国強兵」の国策が「富国」一本に絞られたにすぎませんでした。それはあくなき経済成長への志向となって、国民をそれに向かって総動員して行ったのです。そのために、つい最近までの教育とは「企業戦士」を育成するためのものでした。その政策は、貧困からの脱出を望んでいた国民大多数の支持を受けました。少なくとも終身雇用制が崩れ、現在の先の見えない社会が到来するまでは、国民はそれを支持していたのです。

現在の学校教育とは、相変らず企業のための人材を育成することにあります。その人材とは、会社に利益をもたらすために働いて、用済みになれば黙って首を切られるまま、会社を去ってくれる人間です。間違っても、勤労者の権利を主張したり、労働組合を作って赤旗を振るような人間が出現しないように、教員そのものを教育し強制して、その上で生徒を命令に従うロボットに仕立てることです。先に論述したとおり文部官僚自身が、ダイオキシン汚職という国家犯罪における共同正犯者であり、政治が正常化された時には、かならず刑務所にブチ込まれるべき犯罪者なのですから、彼らには教育行政に携わる資格など、まったく無いのです。犯罪官僚をシステムの頂点に置いた学校行政は、残虐強欲文明の布教者であり執行者です。

現代の日本における学校とは何か、というと、それは一言で表現すれば「バカを作るシステム」です。ここにこそ、学校を巡って発生するすべての問題と軋轢の原因があるのです。この「バカを作るシステム」という認識は、私独自の発想によるものではありません。ジョン・テイラー・ガットという、ニューヨーク州最優秀教師の著作に啓発された認識であり思想です。彼の思想と認識のエッセンスを抜粋転記します。詳しくは、左記の書籍をご参照下さい。

＊　＊　＊

バカをつくる学校　ジョン・テイラー・ガット　株式会社成甲書房

＊　＊　＊

チャイムによる中断、まとまりのない時間割、年齢による区別、プライバシーの欠如、絶え間ない監視といった国の教育制度全体が、子供たちを自分で考えて行動することから遠ざけ、依存的な人間にしようとしている。

正しい教育とは説明するまでもなく、子供たちのやり方を尊重し、彼らにそのための場所と時間を与えることだ。

政府に支配された学校は、私のような教師が増えると、学校制度全体が危険にさらされるとして警戒する。学校がこれまでと違った人間を生み出すようになれば、この国の経済は脅かされる。批判的な思考力を持った子供たちが世に出たら、現在の経済システムは維持できなくなるだろう。

学校に自由は存在しない。言論の自由さえも。教師は生徒を自分の基準に合うように動かし、それに反する者は厳しく罰せられる。自由は学校制度とは矛盾するものだ。私たちの社会は、自分で考えることを知らず、ただ言われただけのことをする人間によって成り立っている。それは学校教育のもっとも重要な方針の一つなのである。

学校は、モデルとなる社会を支えるための体制として作られた。それは支配階級を頂点とするピラミッドにおいて、大多数の人々をその従順な土台にしようとする制度である。

教育とは、子供に従順な態度を叩き込み、ピラミッド社会での地位に満足させることである。

グローバル経済は、人々の真の要求に応えていない。私たちが求めているのは、やりがいのある仕事、手頃な住宅、充実した教育、適切な医療、美しい環境、誠実で責任感のある政府、社会や文化の再生あるいは純粋な正義である。

同じ年齢、同じ階級の人々をまとめて監禁するような制度に従うことは、人生を台無しにすることにほかならない。それは人間のあらゆる可能性を奪い、人々を過去や未来から切り離して、ただ連続する現在にとどめようとするものだ。狭い教室での授業より、自由を与えられた子供は、それが自分の人生に必要だと思えば、簡単に読み書き計算を覚えるものだ。

現在ホームスクーリング（自宅学習）の運動が静かに広がり、約150万人の子供が親から教育を受けている。自宅学習の子供の思考力は、学校に通っている同級生より、5年から10年も進んでいるという。

ヨーロッパの支配階級が行ってきたエリート教育は、一つの教育哲学として機能している。エリート教育の根底には、自己認識こそ真の認識の土台だとする信念がある。そこでは、どの年齢の子供も、自分で対拠すべき課題を与えられる。ときには、馬を全速力で走らせるとか、ジャンプさせるとかいった危険を伴う課題もあるが、10歳足らずの子供でも、ほとんどがこれをクリアーしている。その課題には、孤独に打ち勝つということも含まれる。そしてこの教育方針は、裕福な家の子供だけでなく、貧しい家の子供にも有効である。

自己認識さえ身につけば、子供たちは、自力でどんどん学んでいくだろう。そして、そうした自己教育にこそ、永遠の価値がある。子供たちには、今すぐ自由な時間を与えるべきである。そして、できるだけ早く、現実社会との接点を取り戻してやるべきである。これは緊急事項であり、そのためには抜本的な改革が必要だ。

……最後にジョン・テイラー・ガットは、次の言葉をもって、自らの著書を締めくくっています。「学校教育の悪夢を終らせよう」

＊　＊　＊

ガットのこの言葉は、袋小路に迷い込んでしまった現代文明を終らせて、生命尊重の新しい文明を開こう、ということと同じ意味だと私は思います。そして今や、２０００年前の古代の聖者たちが夢想したような、永遠の至福へと連なってゆく理想の世界が、すでに目前に迫っているのです。人類の知性もテクノロジーも、すでにそれを可能として迎え入れることのできるレベルに達しているのです。それを妨げているのが、残虐強欲文明に染めあげられた政官財学の野蛮人たちです。そして超権力の毒に酔い痴れたあげく、すでに人間界を離脱して魔界の鬼と化してしまったビルダーバーグ、金融寡頭政治のゾンビたちです。

自らの不正な既得権を守らんがために、核戦争までも画策する魔物たちを一掃して、新たなる文明への扉を開きましょう。民衆の真実の願いを轟かせることによって、それは速やかに実現されるでしょう。その時われわれは、新雪に覆われた雪山のように清冽で荘厳な、そして純白の花嫁衣装に身を包んだ清純な乙女のように、甘美な喜びに満ちあふれる新世界を、目の当りにすることでしょう。

目覚めよ。そして勇気を持って行動を。

明日は、あなたの手の中にあるのです。

――完――

著者プロフィール

雨宮　惜秋（あまみや　せきしゅう）

昭和十九年二月、東京都生まれ。

日本大学法学部卒。

平成十六年にアマチュア画家を廃業して美術から文学に転向。

平成十七年、小説『慟哭のヘル・ファイアー』を上梓。

平成二十七年四月、電子書籍『タロー　子供の夢』22世紀アートより出版。

平成二十七年七月、電子書籍『は縫い物語／愛の形見（新説　鶴の恩がえし）』22世紀アートより出版。

同日　　電子書籍『囁く葦の秘密』22世紀アートより出版。

純白の未来

2023年9月30日発行

著　者　雨宮惜秋

発行者　向田翔一

発行所　株式会社 22 世紀アート
〒103-0007
東京都中央区日本橋浜町 3-23-1-5F
電話　03-5941-9774
Email: info@22art.net　ホームページ：www.22art.net

発売元　株式会社日興企画
〒104-0032
東京都中央区八丁堀 4-11-10 第 2SS ビル 6F
電話　03-6262-8127
Email: support@nikko-kikaku.com
ホームページ：https://nikko-kikaku.com/

印刷
製本　株式会社 PUBFUN

ISBN：978-4-88877-253-2